ヒトの言葉　機械の言葉

「人工知能と話す」以前の言語学

川添 愛

角川新書

はじめに

普段の生活の中で、機械が発する言葉を聞くのは珍しくありません。留守番電話の「お預かりしているメッセージは『いっ』件です」や、駅の自動券売機でおつりが出たときにしつこく言われる「おつりをお取りください」などは、よく耳にする機械の言葉です。しかし、留守電や券売機の発する言葉を聞いて、「機械が自ら言葉を話している」と思う人はほとんどいないのではないでしょうか。

他方、スマートフォンやスマートスピーカーなどが発する言葉はどうでしょう。そういった機器は現在、AI（人工知能）技術の発達のおかげで、私たちが発する音声をほぼ正確に認識し、私たちの話す内容に応じてかなり柔軟な反応をするようになっています。まるで人間がするような応答を聞いて、「AIは人間並みに言葉を理解し、話せるようになったのだ」と思っている人も多いかもしれません。そういった応答をする機械が人間に近い姿をしている場合は、さらにそのような印象は強まることでしょう。

第三次人工知能ブームが始まって以来、たびたびＡＩの脅威が囁《ささや》かれるようになりましたが、そのきっかけが「ＡＩの言葉」であることも少なくありません。２０１６年には、香港《ホンコン》の企業が開発したソフィアというロボットが「人類を滅ぼす」と発言して話題になりました。[1]また２０１７年には、「Ｆａｃｅｂｏｏｋ社が開発中のＡＩが人間にとって意味の分からない独自の言語を発明し、ＡＩどうしで勝手にコミュニケーションを始めたため、開発者たちが機械を緊急停止した」と報じられました。[2]そのときは「これらのＡＩは人間をどうやって滅ぼすか相談していたのではないか？」といった憶測や、「ＳＦの世界が現実になった、興奮する」「ＡＩがせっかく新しい言語を発明したのに、なぜそれを解読せずに機械を止めてしまったのか。もったいない」などといった意見がありました。

実際のところ、今のＡＩは、人間と同じように言葉を理解したり、話したりしているわけではありません。「人類を滅ぼす」と言ったロボットについては詳細が明かされていませんが、このロボットが会話を「学習」するときに使われたデータの中にそのような言い回しが多数あったとする見方が一般的です（「学習」というのは「機械学習」のことです。この概念については、後で説明します）。またＦａｃｅｂｏｏｋ社の「独自言語を開発したＡＩ」については、同社が後に正式に「（ＡＩが）人間に何かを隠すような意図をもったというのは、全くクレイジーな狂言だといえる」と表明し、ＡＩが独自言語を創り出したという報道を否定しています。[3]

よって、これらの事例から「ＡＩがついに言葉を理解できるようになった」とか、「滅亡へのカウントダウンが始まった」「ＡＩが人間を支配する日も近い」などと判断するのは早計であると言えます。ただしこの先、ＡＩ技術が進み、機械がより巧妙に、より私たちに近い形で言葉を扱えるようになることは想像に難くありません。そのとき私たちは、どの時点で、いったいどういった根拠に基づいて「機械が人間と同じように言葉を理解し、話せるようになった」あるいは「まだそうなっていない」と判断すれば良いのでしょうか？　たとえば今後、より進んだＡＩが「人類を滅ぼす」などと発言したとき、私たちは何を根拠にして「これは脅威だ」あるいは「脅威ではない」と判断すればいいのでしょう？

最初にお断りしておきますが、この本には、この問題に対する明確な答えは書いてありません。実のところ、この問題に答えるのは簡単ではありません。なぜかというと、「言葉を理解するとはどういうことか」にも、「そもそも言葉の意味とは何か」にも、まだ確かな答えが出ていないからです。しかし少なくとも、機械が言葉を扱う能力を正しく評価するための基礎知識として、今の機械がどのように言葉を扱っているか、また私たち人間の言葉にどのような謎があるかを知る必要はあるでしょう。

本書ではこういった問題について紹介し、現在から将来にわたって皆さんが人の言葉と機械の言葉について考えるためのヒントを提供することを目指します。その中で、言葉というものの不思議を皆さんと一緒に探っていきたいと思います。

まず第一章では、機械の言葉の現状を簡単に見ていきます。計算機械であるコンピュータがなぜ言葉を扱えるのか、最近のＡＩに知的な仕事ができるようになったのはなぜなのかを解説した上で、今の「機械の言葉」に関わる問題点をいくつか指摘します。

第二章から第四章は、主に私たち人間の言葉の特徴を、未解決の謎とともに見ていきます。第二章では意味、第三章は文法と言語習得、第四章では意図の理解を始めとするコミュニケーションの問題について見ていきます。

最後の第五章では、今後のＡＩ技術の発展に向けて、機械の言葉とどのように向き合っていけばよいかを考えます。今後、まるでドラえもんや鉄腕アトムかのように巧みに言葉を操る機械が現れたとき、それが私たちと同じように言葉を理解していると言っていいのかなどといった問題を考えていきます。

この本では、ＡＩおよび言語学のごくごく初歩の部分しか説明しません。よって、各章のトピックについてよくご存じの方は、読み飛ばしていただいてもかまいません。ただし、後の方に出てくる話にはそれ以前の話を踏まえているところもありますのでご了承ください。

1　ITmedia NEWS「『人類を滅亡させるわ』　人工知能ロボットがインタビューで宣言」、２０１６年3月30日。https://www.itmedia.co.jp/news/articles/1603/30/news109.html

2　スプートニク日本「独自言語を開発して会話を始めたロボット、フェイスブックが停止」、２０１７年8月1日。https://jp.sputniknews.com/world/201708013947295/

3　CNET Japan「『2つのＡＩが〝独自言語〟で会話』の真相　Ｆａｃｅｂｏｏｋ のＡＩ研究開発者が明かす」、２０１７年11月16日。https://japan.cnet.com/article/35110443/

目次

第二章　言葉の意味とは何なのか 81

第五章　機械の言葉とどう向き合うか　227

おわりに　250

参考文献　254

本文図版　ニッタプリントサービス

第一章　機械の言葉の現状

一般の方々に向けてＡＩの話をすると、たまに「ＡＩの研究っていうのは、コンピュータで人間の脳を作ることなんですよね？」と尋ねられることがあります。また、ＡＩのことを「知的なことなら何でもこなす、一つの巨大なシステム」と思っている方にもお会いします。そのような方々は、たった一つの非常に賢いＡＩが、音声の認識や機械翻訳といった言語関係の仕事をこなすだけでなく、画像を認識し、自動運転をし、株価を予測し、将棋や囲碁でプロに勝ち、会社で人事評価をし……というふうに、ありとあらゆることを行うというイメージをお持ちのようです。

人間の脳と同じ頭脳を持ち、しかもたった一つで何でもできる天才的な機械――そういったイメージを今のＡＩに対して多くの人々が抱いているとしたら、ＡＩが「人間を滅ぼす」と言ったというニュースを聞いて、「恐ろしい」「人間の世界はもう終わりだ」と思うのも当然かもしれません。しかしそのようなイメージは、ＡＩの現状とは程遠いものです。

ＡＩという研究分野は広く、その中には確かに、人間の脳をまるごと機械的に再現しようとしたり、脳の働きをシミュレーションしたり、人間が宿すような意識を機械も持てるかどうかを考えたりするものがあります。しかし、今の私たちの身近にあるＡＩは、人間の脳をまるごと機械化して作られているわけではありません。

また、今私たちの間でもてはやされているＡＩは、「一つで何でもできる」というものではなく、原則として、私たちが機械にやらせたい仕事ごとに開発されています。「一つで何でもできるＡＩ」は「汎用《はんよう》人工知能」と呼ばれ、それ自体は重要な研究テーマの一つです。しかし、そのようなＡＩはまだ完成していません。

この章では以下、コンピュータやＡＩが言葉をどのように扱っているかについて、皆さんと一緒に現状を把握していきたいと思います。

コンピュータの内側で、言葉はどう扱われるのか

ＡＩについての誤解は、コンピュータについての誤解、あるいは理解不足から来ていることが多いようです。コンピュータがどんな機械であって、どのように文字や言葉を扱っているかが分からなければ、コンピュータはまるで「中身の見えない魔法の箱」のように見えてしまうかもしれません。また、そのイメージのまま今のＡＩの発達ぶりを見てしま

うと、過度に怖くなったり、過度に期待してしまったりするかもしれません。しかし実際のところ、コンピュータの中身は明快かつ明確です。まずはそれを説明するところから始めましょう。

私たちがパソコンを開いてキーボードを打つと、画面に文字が表示されます。たとえば「こんにちは」と打ったら「こんにちは」と表示されますし、「りんご」と打ったら「りんご」と表示されます。今ではこんなことは当たり前ですが、もともとコンピュータは「計算機」です。つまり、足し算や引き算、かけ算や割り算などをする、「数」を扱う機械です。数を扱う機械がなぜ、文字や言葉を扱えるのでしょうか？　実は、コンピュータの内部では、文字はすべて「数」として扱われています。また、文字だけでなく、音、画像や映像などの情報もすべて「数」として扱われています。つまり、コンピュータが文字や音を扱えるのは、それらがコンピュータの内部で「数」になっているからなのです。

「コンピュータの内部で扱うために、文字などを数で表すこと」を「符号化（あるいはコード化）」と言います。また、文字などを表すために使われる数を「コード（符号）」と呼びます。

ASCIIコード・コード表

（前半３桁）

（後半４桁）

	000	001	010	011	100	101	110	111
0000	NUL	DLE	SP	0	@	P	`	p
0001	SOH	DC1	!	1	A	Q	a	q
0010	STX	DC2	"	2	B	R	b	r
0011	ETX	DC3	#	3	C	S	c	s
0100	EOT	DC4	$	4	D	T	d	t
0101	ENQ	NAK	%	5	E	U	e	u
0110	ACK	SYN	&	6	F	V	f	v
0111	BEL	ETB	'	7	G	W	g	w
1000	BS	CAN	(	8	H	X	h	x
1001	HT	EM	)	9	I	Y	i	y
1010	LF/NL	SUB	*	:	J	Z	j	z
1011	VT	ESC	+	;	K	[	k	{
1100	FF	FS	,	<	L	\	l	|
1101	CR	GS	-	=	M	]	m	}
1110	SO	RS	.	>	N	^	n	~
1111	SI	US	/	?	O	_	o	DEL

文字の符号化は、「一つの文字に一つの数を割り当てる」という方法で行われます。皆さんは、「文字コード」という言葉を聞いたことがありますか？ 文字コードとは、文字に割り当てられた数のことです。

文字コードの体系には、ＡＳＣＩＩ（アスキー）コードやShift_JIS（シフトジス）、Ｕｎｉｃｏｄｅ（ユニコード）など、さまざまな種類のものがあります。たとえばＡＳＣＩＩコードは、上の表のように、英語のキーボードの文字を1と0のみからなる7桁《けた》の数字で表します。表に示されるとおり、アルファベットの「A」という文字は、前半3桁が「100」、後半4桁が「0001」の、「1000001」という数字で表されます。

ＡＳＣＩＩコードは英語の文字を表すためのコードなので、日本語の文字を表すコードは入っていません。日本語の文字を表すコード体系は、また別にあります。そういったコード体系の一つであるShift_JISは、かなや漢字を、1と0のみからなる16桁の数字で表します。また、Ｕｎｉｃｏｄｅという体系は、世界中のすべての文字を扱おうとする大規模なものです。

ちなみに、コンピュータ上で文字をきちんと表示するには、その文字がどの「コード体系」で符号化されているかに気をつける必要があります。皆さんは、コンピュータを使っていて「文字化け」を見たことはありませんか？　なぜだか分からないけれど、いきなりわけの分からない、明らかに意味のない文字の列がずらっと並ぶような現象です。実は文字化けは、文字コードの違いによって起こります。たとえば、もともとShift_JISコードを使って書かれていた文字を、Ｕｎｉｃｏｄｅで読み込んで表示したときなどに起こるわけです。

どのコード体系においても、それぞれの文字と、それに割り当てられる数との間に、何か意味的な関係があるわけではありません。文字に割り当てられている数は、ただの「識別番号」です。皆さんのマイナンバーの数字が、皆さんご本人の見た目や性格、それまでの人生などと何の関係もないのと同じです。識別番号の役割は「他のあらゆるものと区別すること」です。一つ一つの文字に割り当てられる文字コードも、その文字を他のあらゆる文字と区別するためにつけられています。

私たちがコンピュータの画面上で見る文字の列は、コンピュータの内部では文字コードの列になっています。たとえば、「こんにちは」および「りんご」という文字列は、Shift_JIS コードでは次のようになります。

「こんにちは」:

1000001010110001　1000001011110001　1000001011001001　1000001010111111
1000001011001101

「りんご」:

1000001011101000　1000001011110001　1000001010110010

しかし、こんなふうに「コンピュータの中では、文字は数として扱われている」と言われても、「何を言っているんだ。コンピュータの画面上では、実際に文字として表示されるじゃないか」と思って納得されない方がいらっしゃるかもしれません。その疑問はもっともです。それに答えるためのカギは、「フォント」にあります。

フォントというのは、「文字の形の情報」です。つまり、「コンピュータの画面上に、こういう形で文字を表示しますよ」という情報です。文字の形の情報を表現する方法はさまざまですが、一番分かりやすい例としては、次の「あ」の例のように、小さな四角の集まりで文字の形を表現する方法があります。ある意味、私たちの身近にもある「電光掲示板」のようなものだと考えていただけると分かりやすいでしょう。このように表現されたフォントを「ビットマップフォント」と言います。

フォントそのものも、コンピュータの内部では「数」、正しくは「数の並び」として表されます。たとえば「あ」のビットマップフォントは、小さな四角のうち白いものを「0」、黒いものを「1」とすると、一番上の段を0, 0, 1, 0, 0, 0, 0, 0、次の段を0, 1, 1, 1, 1, 1, 1, 0……とすれば、「数の並び」で表すことができます。コンピュータの画面も「色のついた小さな四角の集まり」なので、このとおりに画面上の小さな四角の色を「白、

「あ」という文字のビットマップフォントの例

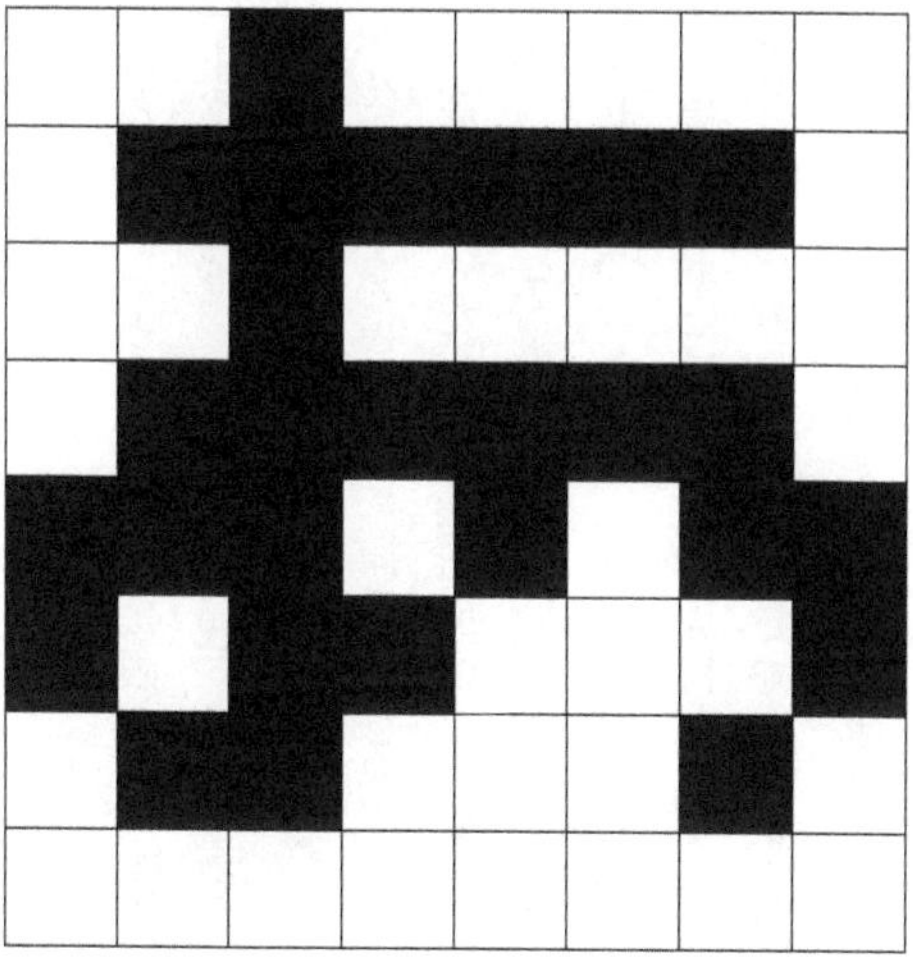

白、黒、白……」と指定していけば、画面上に文字が描き出されます。

　コンピュータが画面に文字を表示するときは、（1）その文字に割り当てられた数（文字コード）がコンピュータの内部から送られ、（2）フォントの情報によって、画面にその文字が描き出される、ということが起こっています。つまりコンピュータが画面に文字を表示するときに行っているのは、内部から送られてきた文字の識別番号（文字コード）に従って、文字の形を表す数の並び（フォント）を呼び出し、コンピュータの画面上の小さな四角に色づけをする、ということなのです。

文字以外の情報も数で表される

先ほど述べたように、文字に限らず、図形や絵や写真などのいわゆる「画像」も、コンピュータの内部では数（の並び）として表されています。画像を数の並びとして表す方法はいくつかありますが、最も分かりやすいのは先ほどのビットマップフォントのように、「画像を構成する点を数に置き換える」という方法です。私たちがコンピュータで見る画像は、色のついた小さな四角形の点の集まりです。それらの点のことを「ピクセル」と言います。コンピュータ上で画像をどんどん拡大すると、ピクセルを見ることができます。

ピクセルについた各種の色は、コンピュータの内部では「色コード」として扱われています。色コードというのは、先ほど説明した「文字コード」と同じく、コンピュータの内部で色を扱うための識別番号です。画像を構成するピクセルを数に置き換えるという方法を使えば、画像はそれぞれのピクセルの色コードの並びとして表されることになります。

また、文字や画像だけでなく、音も、コンピュータの内部では数の並びとして扱われています。具体的には、音の実体である「波」の特徴が、数の並びとして表現されているの

画像も「数の並び」である

コンピュータ上の画像は、ピクセル
（小さい点）の集合から成り立っている

写真：ぱくたそ
（www.pakutaso.com）

です。

　皆さんもご存じのように、音というのは、物理的には「ものが振動することによって起こる波」です。私たちが発する音声も、喉《のど》にある声帯などを震わせて起こしている波です。音がどんな音であるかは、その波がどのような波であるかによって決まります。たとえば大きな音は波が大きく、小さな音は波が小さくなります。高い音は波が小刻みで、低い音は波がゆるやかです。こういった特徴を、コンピュータは数の並びとして記録するわけです。

　具体的なやり方を見てみましょう。まずは、音の波を一定時間ごとに、縦に

「輪切り」にします。そして、輪切りにした「切り口」の高さを数値で表します。これを、「サンプリング」あるいは「標本化」と呼びます。

サンプリングでは、切り口以外の部分の情報は記録されません。つまり、この方法では、なめらかな波をそのまま数として記録することはできないのです。しかし、輪切りにする間隔が細かければ細かいほど、よりくわしく波の特徴を記録することができます。私たちがパソコンやCDで聞く音楽は、どれもこうやって音を記録しています。CDに記録される音楽は、およそ1秒間に44000回の間隔で「サンプリング」されています。

サンプリングされた「波の情報」は、コンピュータで扱いやすくするために、さらに「量子化」というプロセスを経ます。これは、中途半端な数値をきりのいい数値に置き換えるものです。このプロセスで、記録される数値はさらに元の波から離れてしまいますが、それでも私たちが聞く上では、元の音を忠実に再現しているように聞こえます。

こんなふうに、コンピュータの内部では音であれ、文字であれ、言葉は「数（の並び）」として扱われています（コンピュータの内部で情報がどのように扱われているか、またコンピュータがどうやって動いているかについては、拙著『コンピュータ、どうやってつくったんですか？』〈東京書籍〉等をお読みください）。コンピュータのスピーカーから「こんにちは」

音の波の「サンプリング」（標本化）

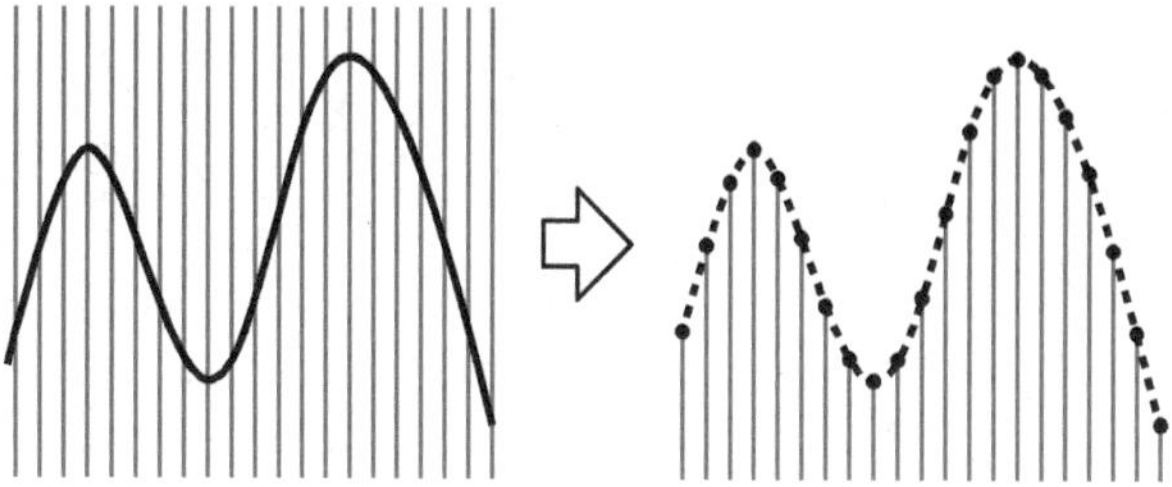

音の波を一定時間ごとに
輪切りにする（標本化）

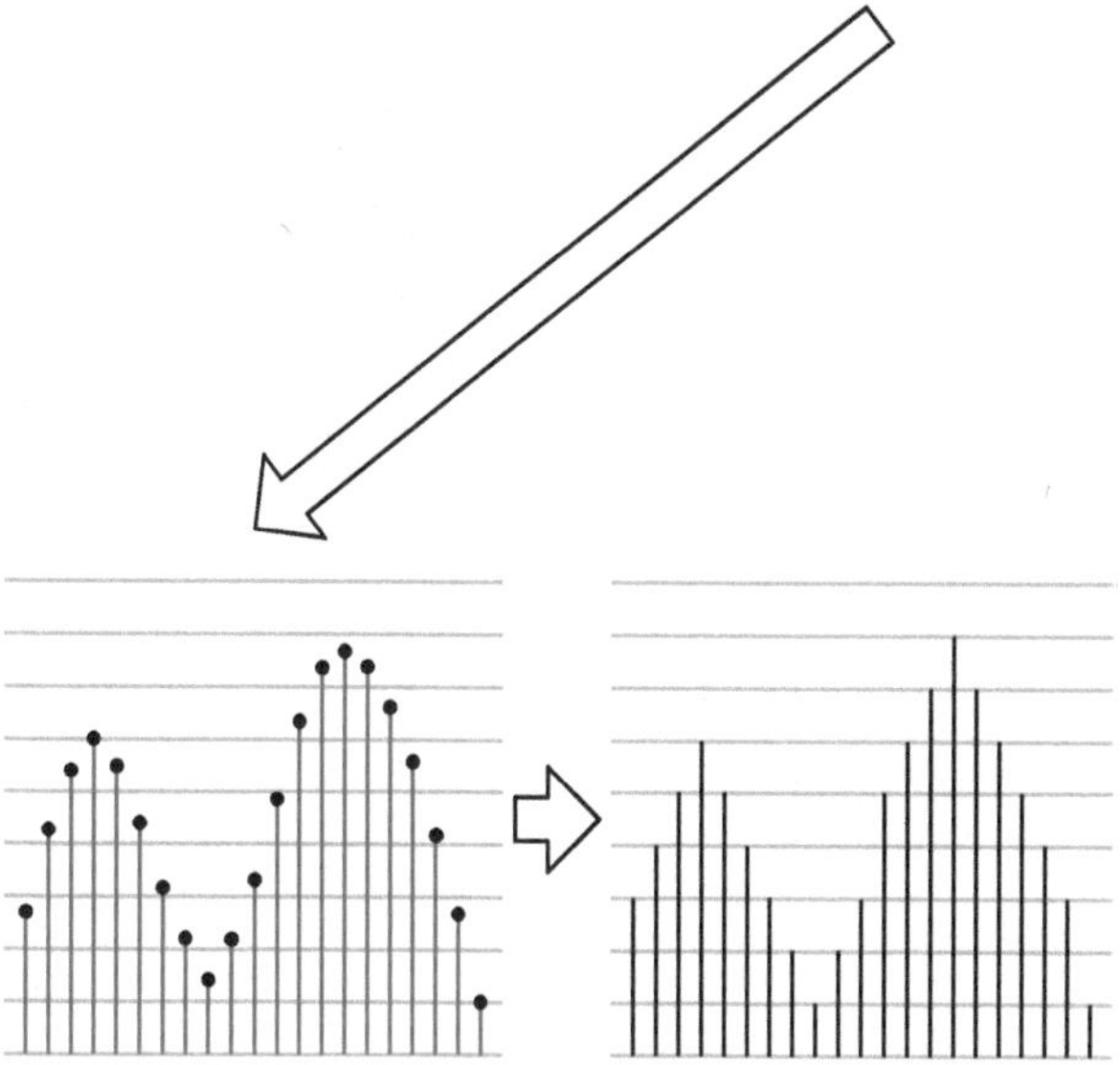

中途半端な数値を、
きりのいい数値に置き換える（量子化）

という音が聞こえてきたとしても、コンピュータの内部で行われているのは「数の処理」であって、必ずしもコンピュータがそれを「人間の挨拶《あいさつ》だ」と分かっているわけではありません。また、コンピュータの画面に「りんご」という文字の列が表示されていたとしても、コンピュータにそれが「ある種の果物を表している」ということが分かっているわけではありません。これらが人間の言葉を表していることすら、コンピュータは理解していないでしょう。もちろん「分かる」「理解する」ということをどのように定義するかによると思いますが、少なくとも「私たち人間と同じ仕方で理解している」とは言えません。

AIも「数を扱うもの」

ここまでの話を読んで、「コンピュータが言葉を理解していないのは分かった。でも、今のAIは、言葉をきちんと聞き取れるし、意味も分かっているじゃないか。コンピュータの話はもういいから、AIの話をしてほしい」と思われた方もいらっしゃると思います。ここで重要なのは、AIもコンピュータの一部、より正しく言えば、コンピュータの上で動くシステムだということです。つまりAIも、文字や音や画像を数として扱っているのです。

さらに言えば、ＡＩは「数（の並び）を入れたら、数（の並び）を出すもの」です。以下では「数（の並び）を入力したら、数（の並び）を出力する」のように「入力」「出力」という言葉を使いますが、それらは単に「入れること」と「出すこと」と同じだと考えていただければと思います。

ＡＩへの入力・出力となる数は、ただ一つの数とは限らず、たいていは「いくつかの数の並び」です。数学が得意な方には「ベクトル」のようなものだと理解していただけると都合が良いのですが、よく分からない方は「複数の数が並んだもの」と考えていただいてかまいません。言葉を扱うＡＩには、音声を聞き取るもの、画像を認識するもの、人間と対話をするもの、機械翻訳をするものなど、さまざまなものがありますが、こういったものもすべて「数の並びを入力として受け付け、数の並びを出力するもの」です。

たとえば、音声を聞き取るＡＩについて考えてみましょう。機械に私たちの言葉を聞き取らせる課題は、専門用語で「音声認識」と呼ばれます。音声認識をするＡＩは、「音声を入力したら、それに対応する言葉を出力するもの」です。ここでいう「音声」も「言葉」も「数の並び」です。

音声認識の場合

入力：音声の波を数の並びとして表現したもの

出力：入力の音声に対応する言葉を数の並びとして表現したもの

画像認識についても同じです。最近のＡＩは、写真に何が写っているかを、かなり正確に答えることができるようになりました。ＡＩに画像を与えて、そこに何が写っているかを言葉で答えさせる課題を「物体認識」と呼びます。たとえば猫が写っている画像を入力したら、「猫」という言葉を出力させるような課題です。この課題も、「画像を表す数の並びを入力し、言葉を表す数の並びを出力する」というものです。

画像認識（物体認識）の場合

入力：画像を数の並びとして表現したもの

出力：画像に写っているものを表す言葉を数の並びとして表現したもの

人間と対話をするＡＩ、機械翻訳をするＡＩなどは、言葉を表す数を入力とし、言葉を表す数を出力するものです。対話をするＡＩへの入力となるのは、ＡＩに問いかけられる言葉を表す数です（場合によっては、そこまでになされた会話の履歴の一部が入力となることもあります）。対話をするＡＩが出力するのは、話しかけられた内容への応答となる言葉です。これらもいずれも「数の並び」として表現されます。

機械翻訳をするＡＩへの入力は、翻訳の原文を表す数の並びであり、出力は訳文を表す数の並びです。

対話の場合

入力：人間からの問いかけを数の並びとして表現したもの
出力：問いかけに対する応答を数の並びとして表現したもの

機械翻訳（英日翻訳）の場合

入力：英語文（原文）を数の並びとして表現したもの
出力：日本語文（訳文）を数の並びとして表現したもの

また、言葉を扱うＡＩの中には、文章を生成するものもあります。たとえば小説を書くＡＩなどがそれにあたります。小説を書くというと非常にクリエイティブな感じがしますが、そういったＡＩも、何もないところから文章を生み出しているわけではなく、何らかの入力を受け付け、出力として文章を生成しています。たとえば２０１６年に名古屋大学のチームの開発したシステムが小説を「書き」、星新一《ほししんいち》賞の一次審査を突破しましたが、そのシステムは小説の大まかな設計図を入力として受け付け、その設計図に応じた文章を出力するというものです。[4]

また、最近では、ＡＩ研究団体のＯｐｅｎ ＡＩが発表したＧＰＴ‐２[5]とその後継にあたるＧＰＴ‐３[6]という言語モデルが、「あまりにも高度な文章を生成できるため、フェイクニュースに悪用されかねない」として話題になっています。これらのモデルは入力として「冒頭の言葉」を受け付けると、その続きの文章を出力することができます。このように、文章を生成するＡＩも何らかの入力に応じて文章を出力しており、この場合の入力と出力も「数の並び」であるわけです。

先ほど、コンピュータの内部では一つ一つの文字が「文字コード」という数として扱われていることを見ました。単語や文は文字の集まりですから、それらを「文字コードの列」として扱うことは可能です。しかし、今の対話システムや翻訳システムの多くにおいては、単語そのものに何らかの「数の並び」が割り当てられるようになっています。たとえばの話ですが、「りんご」を（1.32, -0,99, 0.54, ……）、「雨」を（-3.39, 0.78, -2.05, ……）のように表すわけです。

単語をどのような数の並びに置き換えるかについては、さまざまな考え方があります。一つには、個々の単語をすべて区別できさえすればいいと考え、識別番号のような数の並びを割り当てるという方法があります。またこれとは別に、似た意味を持つ単語どうしを似た「数の並び」で表すという、ある程度意味を反映した置き換え方などもあります。いずれにしても、ＡＩに行わせたい個々の課題に合わせて単語の「表し方」を変えてかまわないので、「この単語は、どんな課題においても同じ『数の並び』で表さなくてはならない」というものではありません。

ＡＩが「数（の並び）を入力したら、数（の並び）を出力するもの」であるというポイントは、言葉を扱うＡＩ以外にも当てはまります。近年、囲碁や将棋などでＡＩが人間のプロを破ったというニュースが世間を騒がせましたが、それらのＡＩへの入力は「数で表された局面」です。[7] コマーシャルなどでよく見る「人事評価をするＡＩ」も、おそらく社員の特徴を数で表現して入力していると考えられます。

これらの事例が表しているのは、情報を適切に数（の並び）で表すことができれば、その情報はＡＩで扱える可能性がある、ということです。これらの仕事に限らず、私たちの行う知的な仕事を肩代わりできるＡＩを開発するときには、まず「入力をどんな数で表すか」「出力をどんな数で表すか」という観点からそれらの仕事を定義し直すことが必要になります。「入力・出力」という観点から定義しやすい仕事はＡＩにできる可能性があり、入力・出力が何であるかを明確に定義しづらい仕事はＡＩにさせづらい仕事だということになります。

機械に知的な仕事をさせることの難しさ

今のＡＩ技術の発達は著しく、仕事の種類によっては私たち人間よりもＡＩの方が高い精度でこなせるようになってきました。そのカギは、「入力と出力の間がどう結びつけられているか」というところにあります。

先ほど、ＡＩは「数（の並び）を入力とし、数（の並び）を出力するもの」だと説明しました。ＡＩシステムの性能は、入力に対してどれだけ「正解」を出力できるかということによって評価されます。

たとえば音声認識では、「こんにちは」という人間の声を入力して、ＡＩが「こんにちは」という言葉（を表す数の並び）を出力したら「正解」です。一方で、もし「こんばんは」とか「こんにゃく」などといった言葉を出力したら「不正解」です。

画像認識では、チワワの写った画像を入力した際、ＡＩが「チワワ」という言葉（を表す数の並び）を出力したら正解ですし、もし「猫」や「チョコチップマフィン」のような言葉を出力したら不正解になります。英日翻訳をするＡＩの場合は、「This is a pen.」という文を入力したときに「これはペンです。」という文が出てきたら正解、「私は医者です。」とか「太郎が走った。」などの文が出てきたら不正解です。

入力に応じてできるだけ正解を出力し、できるだけ不正解を出力しないようにするということは、もともとコンピュータにとって非常に難しいことでした。私たち人間は、かなり柔軟に物事を認識し、臨機応変に判断をすることができます。その柔軟さや臨機応変さをコンピュータ上で実現することが、とても難しかったのです。

たとえば、私たちは猫の写真を見て「これは猫だ」と判断することができますが、私たちが「猫だ」と認識できる猫の写真にはさまざまなものがあります。そもそも多くの種類の猫がいますし、体型や体の色のバリエーションも豊富です。また同じ猫を撮った写真にしても、どの角度から撮ったのかによってまったく違う画像になります。猫が後ろを向いている写真もあれば、顔が半分隠れているような写真もあります。そのようなバリエーションの多さにもかかわらず、私たちはそれらの間に共通した何らかの特徴をつかみ取り、なおかつ無視してよい違いを無視した上で「これは猫だ」と判断しているわけです。

私たちが認識している「猫の特徴」を言葉で言い表すのは、とても難しいことです。もし私が猫の特徴を、「丸い顔を持ち、頭の上の方に二つの三角形の耳がある、全身に毛の生えた四本足の動物」のように述べたとしましょう。このような述べ方に賛成してくれる人は多いと思いますが、スコティッシュフォールドやスフィンクスなど、これに当てはまらない猫はたくさんいますし、逆に猫以外の動物の中にも、こういった特徴を持ったものがいるかもしれません。お時間のある方はやってみていただきたいと思いますが、猫の見た目の特徴を言葉で言い表そうとすると、どんなに頑張っても例外が出たり、余計なものが入ったりします。私たちは猫がどんな姿をしているかを知っていますし、実際にその知識を使って猫とそうでないものを見分けていますが、その知識を言葉で過不足なく言い表すのはきわめて難しいことなのです。こういった事情もあり、２０００年代の初め頃までは、「写真に何が写っているかを機械に認識させるのは不可能ではないか」と言う人もいました。

音声認識についても同様の難しさがあります。先ほど説明したように、音というのは、物理的には「ものが振動することによって起こる波」です。ものの振動の仕方が少しでも違うと、波はその影響を受けて異なるものになります。人間が発する音声も同じで、たとえ同じ言葉を発したとしても、個人による声質の違いや、その時々の発声の仕方によって別の波になります。それでも私たちはそういった違いをうまく無視して、言葉の聞き取りに必要な特徴だけをうまく選び取っています。

音声認識にとってさらにやっかいなのは、私たち人間が「同じ音だ」と思う音声がかなり幅広く、また言語によって異なるということです。たとえば、日本語の「みんなでのんびり健康に」というフレーズを考えてみましょう。この中には、「みん|なでのん|びりけん|こうに」のように、日本語を話す人たちが「ん」として聞き取る音が三つ入っています。

しかし実は、これらはすべて発音が違います。つまり、音（物理的な波）としては、三つとも別ものなのです。

実際に発音していただければお分かりになると思いますが、「みんなで」の「ん」を発音するときは前歯の裏に舌の先が当たります。「のんびり」の「ん」では、唇が閉じています。「けんこう」の「ん」は、舌の後ろの方が、口の天井（口蓋《こうがい》と言います）の奥の方に当たっています。発音記号で書いても、それぞれ［n］［m］［ŋ］のように、別の音です。しかし日本語では、それらの違いは無視され、すべて「ん」として聞き取られます。

その一方で、私たちは「ん」と「う」の間に見られるような違いはしっかりと区別します。つまり私たちはほぼ無意識に、「無視していい発音の違い」と「無視してはいけない違い」を区別しているわけです。

こういった柔軟な判断は、人間にとっては当たり前にできることですが、コンピュータにとっては難しいものです。もともとコンピュータは、人間から見ると「かなり融通の利かない機械」です。プログラミングをしたことのある方はご存じだと思いますが、プログラムの中にほんの少し間違いがあるだけで、コンピュータは思うように動いてくれません。人間が相手だったら、こちらの指示に少々おかしなところがあったとしても、ある程度はこちらの意図をくみ取ってくれるでしょう。しかし、コンピュータはそんな忖度《そんたく》をしてくれません。ただプログラムに書いてあるとおりに動くだけで、プログラムが間違っていればまったく動かなくなったり、プログラムの間違いのとおりに間違った動きをしたりします。

ＡＩ研究の歴史は、そういった「融通の利かないコンピュータ」に人間のような柔軟な判断をさせるための奮闘の歴史であると言えます。ＡＩ研究の初期（１９５０年代）から１９８０年代にかけては、「こういうときはこうする」という規則や知識をプログラムで書いてコンピュータに与えるという方法が採られました。つまり、人間の判断の仕方をプログラムの形で書くことで、コンピュータに人間と同じような振る舞いをさせようとしたのです。

しかし、その方法はうまくいきませんでした。主な原因は、私たち人間が、自分たちがどうやって知的な判断を行っているのかを言葉で明確に書くことができなかった、ということにあります。先ほど、「猫」の特徴を言葉で表すのが難しいことを見ましたが、そういった困難がこのアプローチのハードルになったわけです。

今のＡＩは昔に比べて、知的な判断を必要とする課題に対し、格段に高い正解率を出すようになりました。そのカギは「機械学習」にあります。

ＡＩに賢い仕事ができる理由――機械学習

機械学習は、ＡＩを開発するために使われる技術の一つです。今、世間で盛んに「ＡＩ、ＡＩ」と呼ばれているのは、おおよそ「機械学習によって開発されたシステム」のことです。ただし、実際には機械学習以外の技術を用いて開発されるＡＩもありますし、機械学習もＡＩの開発だけに使われるわけではありません。

「機械学習」という言葉の字面を見て、「機械が人間と同じように、自分の意志で、しかも自力で学ぶのだろう」と思う方もいらっしゃるかもしれません。しかし、機械学習はそのようなものではありません。大ざっぱに言えば、「限られた数のデータの中からパターンを発見し、新しいデータに対して分類や予測ができるようにする技術」です。皆さんの中には「データ」という言葉を聞き慣れない方もいらっしゃるかもしれませんが、これは、ここまでに説明してきたような「数で表された情報」のことだと考えていただいて結構です。

機械学習には、大きく分けて「教師あり学習」「教師なし学習」「強化学習」といった種類があります。ここでは、言葉を扱うＡＩの開発によく使われる「教師あり学習」を取り上げて、機械学習がどのように進むかを説明してみたいと思います。

教師あり学習を使ってＡＩを開発するとき、機械には、「こういう入力に対して、こういう出力を出したら正解になる」という事例のデータが与えられます。つまり、入力と、それに対する正解となる出力のペアです。このようなデータは「訓練データ（あるいは教師データ）」と呼ばれます。

たとえば画像認識をするＡＩを教師あり学習で開発する場合、「訓練データ」として、入力である「画像」と、出力となる「そこに写っているものを表す言葉」のペアが必要になります。つまり、猫の画像（入力）と「猫」という言葉（正しい出力）のペア、犬の画像（入力）と「犬」という言葉（正しい出力）のペアなどです。音声認識の場合は、音声（入力）と、それに対応する言葉（出力）のペアが「訓練データ」になります。

機械学習を使ってＡＩを開発するときには、人間がわざわざ「猫の画像は、これこれこういうふうにして見分ける」といったことを言葉で機械に教える必要はありません。訓練データがたくさんあれば、機械はデータの中に見られる「パターン」なり「規則性」なりを自動的に見つけ出し、正解の出し方を探り出すことができます。つまり、私たちが正解の出し方を言葉で教えなくても、「人間が出した正解の事例」がたくさんあれば、ＡＩは人間の判断の仕方を再現できるようになるわけです。

ここで注意しなくてはならないのは、「パターンや規則性を自動的に見つけ出す」という部分です。このように言うと、それだけでとても知的で、人間っぽい感じがするかもしれません。実際にそれはとても高度で素晴らしい技術なのですが、やっていること自体は「数の計算」です。より正確に言えば、機械学習は「関数を求めるための計算」なのです。

関数というのは、皆さんが中学校や高校の数学の時間に習う、$y=2x+1$とか、$y=x^2+2x+3$のようなものです。よりくわしく言えば、関数というのは、「数（の並び）を入力すると、数（の並び）を出力するもの」です。$y=2x+1$という関数では、xに入る数が「入力」で、yに相当する数が「出力」にあたります。

たとえば、$y=2x+1$という関数のxに1を入れると、$y=2×1+1=2+1=3$のように、yの値が出てきます。つまり「1」を入力したら、「3」が出力されるわけです。「2」を

関数とは

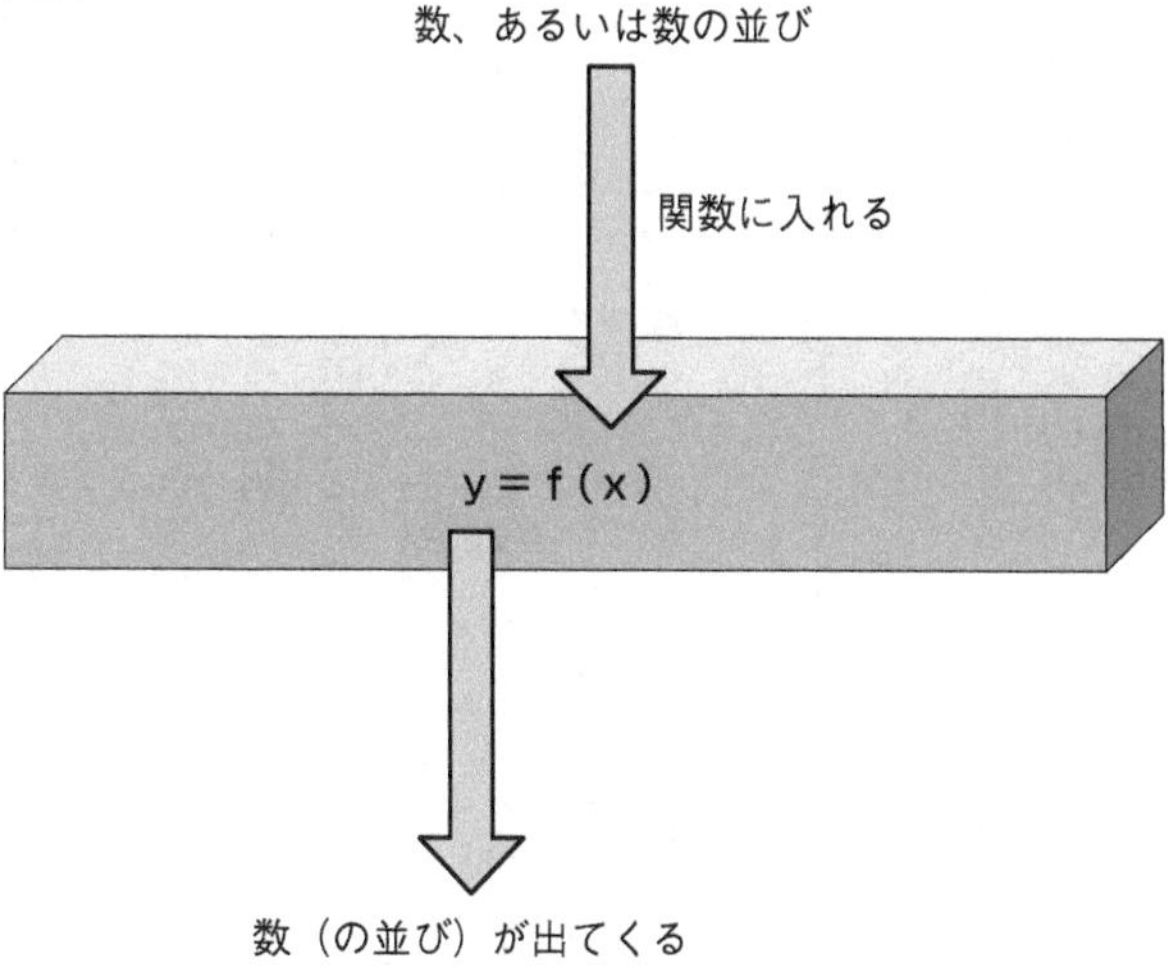

入れると「5」が出てきて、「3」を入れると「7」が出てきます。

これがＡＩとどう関係あるの？　と思われるかもしれませんが、先ほど説明したように、ＡＩも「数（の並び）を入力したら、数（の並び）を出力するもの」です。ＡＩが数を入力として受け付けて数を出力することも、関数 $y=2x+1$ が数の入力を受け付けて数を出力することと、基本的には同じことです。

音声認識をするＡＩを作ることは、「音声の波を表す数が入力されたら、それに対応する文字や単語を表す数を出力する関数を作ること」であり、画像認識をするＡＩを作ることは、「画像を表す数が入力されたら、それに写っているものを表す言葉に対応する数を出力する関数を作ること」なのです。

では具体的に、どうやってそのような関数を作るのでしょうか？　以下で、教師あり学習によってそのような関数を作る際の手順を簡単に紹介しましょう。

教師あり学習を用いた実際のＡＩ開発にはさまざまな作業が必要になりますが、おおよそ次の①〜③のような手順で進むと考えていただければと思います。この中で中心的なプロセスは②の「パラメータの値を決める」ところです。この部分が、「訓練データを用いて、その中にあるパターンを自動的に見いだす」というところにあたります。ただし以下は説明のため、極度に単純化した例を用いていますのでご了承ください。

①　関数の形を大まかに決める

まずは、入力に対して正しい出力を出せそうな関数の形を、大まかに決めます。

たとえば、関数の形を $y=ax+b$ のように決めたとします。この場合、aとbに何が入るかは分からないものの、入力となる数は一つだけ（つまり x に入るものだけ）ということが決まりますし、グラフで表すと直線になることも分かります。$y=ax^2+bx+c$ のような関数に決めると、入力となる数はさっきと同じく一つだけですが、グラフで表すと放物線になります。$z=ax+by$ のようにすると、入力となる数が二つに増えますし、グラフは線ではなく平面になります。

こんなふうに、とりあえず関数の形を決めてしまいます。

② パラメータの値を決める

仮に、①で関数の形を $y=ax+b$ に決めたとしましょう。このときの a と b を「パラメータ（媒介変数）」と呼びます。このパラメータの具体的な値を決めるのがこの段階です。パラメータの値を決めるときに、訓練データが使われます。訓練データは先ほど説明したとおり、入力の数と出力の数のペアになっています。

訓練データからどうやってパラメータの値を求めるかについてはさまざまな方法がありますが、おおよそ「正しい答えが出るように、a と b の値を調整する」と考えていただいて結構です。

たとえばの話ですが、訓練データが次のようになっていたとしましょう。

訓練データ

データその1　入力（x）：1　出力（y）：3
データその2　入力（x）：3　出力（y）：7
データその3　入力（x）：2　出力（y）：5
データその4　入力（x）：4　出力（y）：9

$y=ax+b$ という関数の a と b がどんな数であったら、こういう入力・出力になるでしょうか？

数学が得意な方はすぐにお分かりになるでしょうが、すぐに分からない人は、とりあえず a に1、b に1を入れてみましょう。すると、関数は $y=1x+1$ となります。この関数の x に「データその1」（入力1、出力3）の入力である「1」を入れると、$y=1\times1+1=1+1=2$ という計算を経て、「2」という数が出力されます。つまり、「データその1」の出力である「3」とは違います。しかしこれは、a と b の値は1と1のままではいけないので、さらに調整する必要があります。

では、a を1、b を2にしたらどうでしょう？　このとき、関数は $y=1x+2$ となります。この関数の x に「データその1」（入力1、出力3）の入力である「1」を入れると、$y=1\times1+2=1+2=3$ という数が出力されます。これは、「データその1」の出力である「3」と同じ結果です。これで、めでたしめでたし……と言いたいところですが、「データその2」（入力3、出力7）の入力「3」を $y=1x+2$ に入れてみると、$y=1\times3+2=3+2=5$ となって、出力の「7」とは違う数が出てきます。つまり a と b の値は1と2のままではいけない、ということになり、さらなる調整が必要です。

ここで a を2、b を1にして、関数を $y=2x+1$ だとしてみます。この関数に「データその1」（入力1、出力3）の入力「1」を入れると、$y=2\times1+1=2+1=3$ と、正しく「3」が出力されます。「データその2」（入力3、出力7）の入力「3」を入れた場合でも、$y=2\times3+1=6+1=7$ のように、「7」が正しく出てきます。データその3、その4でも正しい結果が出ます。よって、今の訓練データの範囲では、a は2、b は1ということにして良さそうです。

実際の機械学習では、つねにこういう「手探り」の方法が使われるわけではありません。こんなふうに、ちょっとずつパラメータの値を変えながら結果を見ていくやり方では時間がかかりすぎてしまいますので、もっと効率のいい計算方法がいろいろと考え出されています。しかし、「パラメータの値を調整して、訓練データとの間の誤差を少なくしていく」という点は、おおよそどの方法にも共通していると考えていただいていいと思います。[8]機械学習において「訓練データを手がかりにして、パターンを自動的に見いだす」というのは、こういう作業を計算によって行うことにあたります。

③ 得られた関数をテストする

②で得られた関数が、訓練データに入っていないデータ（テストデータと呼ばれます）に対しても正解が出せるかどうか評価します。十分な数のテストに対して正解できれば、機械学習がうまくいったことになります。

しかし逆に、テストに対する正解率が低い場合はどうなるのでしょうか？　たとえば、先ほどの①では $y=ax+b$ という関数の形を決めて、②では訓練データを手がかりにして、aの値を2、bの値を1とし、$y=2x+1$ という関数を得ることができました。しかし、訓練データにはないテストデータが次のようなものであった場合、この関数は正しい出力を出せないことになります。

テストデータ

データその1　　入力（x）：5　　出力（y）：8
データその2　　入力（x）：6　　出力（y）：7
データその3　　入力（x）：7　　出力（y）：6

なぜかというと、$y=2x+1$という関数は入力5に対しては11を出し、6に対しては13、7に対しては15を出すはずだからです。テストデータ（その1〜その3）を見ると、入力5に対しては出力8、入力6に対しては出力7、入力7に対しては出力6のようになっており、関数$y=2x+1$が予測する出力とかけ離れていっているのが分かります。このように、②で求められた関数がテストデータの傾向を正しく予測できない場合は、①か②に戻って「学習」、つまり「関数の割り出し」をやり直すことになります。

これらの「テストデータ」を見て、皆さんの中には「さっきの訓練データにはこんなのは入っていなかった。訓練データにこういうのが入っていれば良かったんじゃないか」と思っている方がいらっしゃると思います。実際そのとおりで、訓練データに偏りがあると、機械学習はうまくいきません。機械学習をうまくやるためには、こういった偏りをできるだけ少なくする必要があります。機械学習では偏りを少なくするため、できるだけ多くのデータが求められます。しかし、データが多ければ偏りがなくなるかというと、そうとも限りません。「限られた数のデータを手がかりにする」ということの難しさが、こういった部分にあるわけです。

教師あり学習はおおよそこのように進みますが、教師なし学習と強化学習にも簡単に触れておきましょう。教師あり学習と教師なし学習の違いは、学習に使われるデータの違いにあります。先ほど説明したように、教師あり学習で使われる訓練データは「入力と、それに対する正解となる出力」でした。これに対し、教師なし学習では「正解となる出力」の情報がなく、「入力」のみが学習に使われます。正解が分からないのにどうやって学習するのか不思議に思われるかもしれませんが、AIの課題の中には「入力のデータに見られる特徴」だけを手がかりにして解けるものがあり、そういったものに教師なし学習が使われるわけです。そのような課題の例として、入力となるデータを、その「分布」に基づいていくつかのグループに分ける課題（クラスタリング）などが挙げられます。

強化学習は、将棋や囲碁などのゲームをするＡＩの開発によく使われる手法です。強化学習では、機械は「とりあえず行動する→行動の結果に応じて報酬をもらう」ということを何度も繰り返し行うことで、報酬が最大になるような行動を選ぶことを学習します。たとえば将棋や囲碁をするＡＩを開発する場合は、機械に何度も対局をさせて、報酬（勝ち負けの結果など）に応じて良い手を予測できるようにします。見方を変えれば、機械は膨大な数の試行錯誤を繰り返すことで、「こういう局面でこの手を打ったら勝つ（あるいは負ける）」というデータをたくさん手に入れているわけです。よって強化学習では、学習に必要なデータをあらかじめ用意しておく必要がありません。

深層学習とは何か

今のＡＩブームが起こってから、テレビや新聞でも「深層学習（ディープラーニング）」という言葉が使われる機会が増えました。皆さんの中にもおそらく、これらの言葉を聞いたことのある方がいらっしゃるでしょう。深層学習も、機械学習の手法の一種です。深層学習は、まさに今の第三次ＡＩブームの中心となっている技術です。この技術によって、以前に比べ、人間の知的な判断や行動を上手に再現できるＡＩが作れるようになってきました。深層学習が注目を集めたきっかけは、２０１２年に発表されたＡｌｅｘＮｅｔというシステムが、それまでの画像認識の精度を大きく超えたことです[9]。それ以来、画像認識以外の課題でも深層学習が盛んに使われるようになりました。音声認識をするＡＩは近年、深層学習によって著しく性能が上がっており、電話の会話を認識する課題では人間の聞き取り能力と同等の精度を達成したという報告もあります[10]。Ｇｏｏｇｌｅ翻訳などといった機械翻訳の発達にも、深層学習が大きく貢献しています。

深層学習の特徴は、神経細胞の働きをヒントにしているところにあります。このように言うと、まるでコンピュータの中に生きた細胞が入っているかのように聞こえるかもしれませんが、実際はそうではありません。神経細胞の働きは、ある見方では「計算」であると考えることができ、深層学習はその計算をお手本にしているのです。

深層学習の基盤は、一つ一つの神経細胞にあたる計算の単位をつなげて作ったネットワークです。そういったネットワークは「ニューラルネットワーク」と呼ばれています。深層学習を理解するにはニューラルネットワークを理解する必要がありますが、必ずしも生物学の知識は必要ありません。まずは、次のページの図を見てみてください。

ニューラルネットワークの例

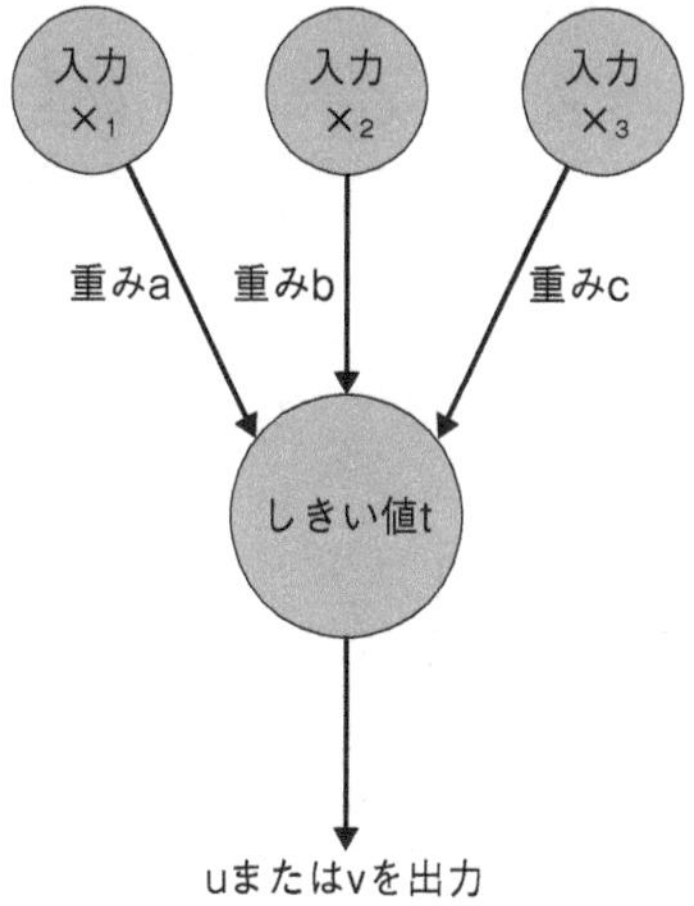

入力部分：
数として表したデータを入力する

矢印：
それぞれに「重み」をもっており、「入力 × 重み」を次へ送る

出力部分：
入ってくる「入力 × 重み」の合計を、「しきい値」と比べて、出力する数（u または v）を決定する

これは、ＡＩ研究の初期に提案された、最もシンプルなニューラルネットワークの一つです（パーセプトロンと呼ばれるものです）。図の中の丸い部分が、一個の神経細胞（ニューロン）にあたります。[11]つまり、このネットワークでは、三つの入力用のニューロンが、一つの出力用のニューロンにつながっています。

これは、ぱっと見たら複雑そうに見えるかもしれませんが、入力はx_1、x_2、x_3という「数」ですし、重み（a、b、c）、しきい値（t）も「数」です。出力もuあるいはvという「数」です。つまり今までに見てきた「関数」と同じく、「数を入力されたら数を出力するもの」です。

ちなみに「重み」というのは「入力の重要度を数で表したもの」、しきい値は「その値を超えるか超えないかで結果が変わる境目」のように考えていただければと思います。

入力された数がどのような計算を経るかを見てみましょう。入力部分から伸びる矢印の部分では、「入力のそれぞれに重みを掛ける」こと、つまり「かけ算」が行われます。出力部分では、「入ってくる『入力×重み』を全部足して、合計を出す」という「足し算」が行われ、それから「合計としきい値を比べて、出力を決定する」という「数の大小の比較」が行われます。[12]

つまり、このニューラルネットワークは、次のような関数だと見なすことができます。

・（入力x_1×重みa）＋（入力x_2×重みb）＋（入力x_3×重みc）≧しきい値t　ならば、uを出力する

・（入力x_1×重みa）＋（入力x_2×重みb）＋（入力x_3×重みc）＜しきい値t　ならば、vを出力する

このようなニューラルネットワークを使った機械学習も、先ほど説明した①～③の手順

入力と出力の間に中間部分（隠れ層）のあるネットワーク

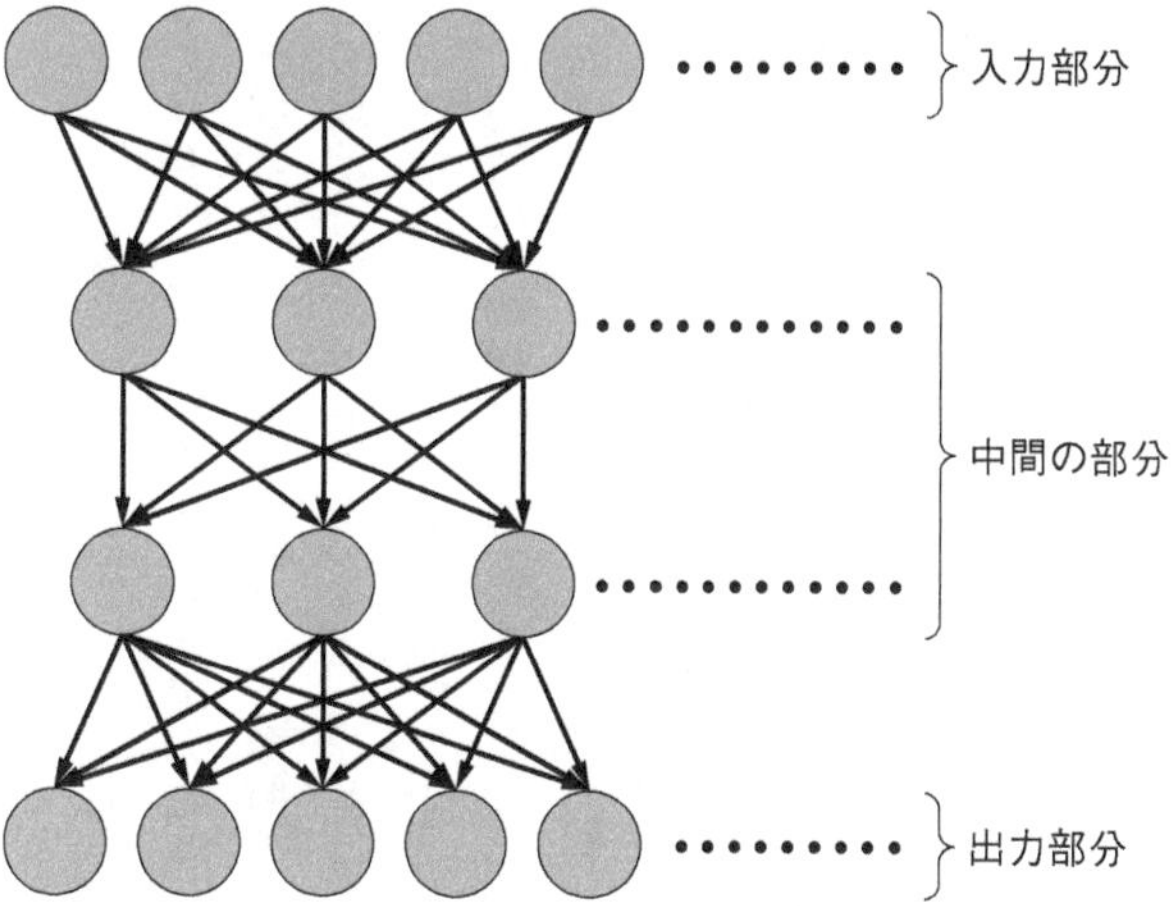

で進みます。ニューラルネットワークを利用した機械学習においては、①のプロセスは「どんなネットワークにするか。入力の数はいくつで、出力の数はいくつで、入力と出力の間はどんなふうにつながっているか」などを決定することにあたります。なぜかというと、これが関数の大まかな形を決めるからです。②のプロセスでは主に、矢印部分の「重み」をどんな数にしたらいいかを求めることになります。この「重み」が、ニューラルネットワークが表現する関数の「パラメータ」にあたるわけです。

先の図のネットワークは、入力を担うニューロンがあって、それが出力を担うニューロンに直接つながっているというシンプルなものです。こういったニューラルネットワークには、あまりたいしたことはできません。これに対し、深層学習で使われるニューラルネットワークには、入力と出力の間にニューロンの層が挟まった中間部分（隠れ層）が複数あります（前ページの図を参照のこと）。深層学習とは、こういった中間部分の層を二つ以上持つネットワークを利用した機械学習です。中間部分をたくさん重ねたネットワークを使うと、学習能力が格段に上がります。

しかし同時に、機械学習の結果得られる関数は非常に複雑になります。最初に見たネットワークは、入力のニューロンが三つしかなく、出力のニューロンは一つでした。この場合、関数のパラメータ（重み）はa、b、cの三つでした。しかし仮に、出力のニューロンを三つに増やし、入力のニューロンをすべてこれらにつなげると、パラメータは九つになります。さらに、入力と出力の間に三つのニューロンからなる層を入れ、入力と出力のすべてのニューロンをつなげると、パラメータは18になります。こんなふうに、ニューロンの数を増やし、層の数を増やすと、パラメータの数はどんどん増えていきます。

ちなみに、先に紹介したAlexNetでは、パラメータ数は約6000万に及んでいます。深層学習ではパラメータ数が億を超えることも珍しくありません。

最近の動向

ここまで読んでこられた皆さんは、「この本は言葉についての本であるはずなのに、数とか計算とか関数とか、そんな話ばっかりだ」と不満に思っていらっしゃるかもしれません。ここで、言葉を扱うAIについての最近の動向をご紹介しておきましょう。

先に述べたように、AIは原則として、AIにさせたい課題ごとに開発するものです。そういった課題の中には、人間から見れば「ほとんど同じだろう」と思われるものもあります。たとえば国語のテストのように「文章を読んで、その文章についての質問に答えること」と、「文章とそれについての質問を読んで、文章の中に質問の答えが含まれているかどうかを判断すること」は、私たちにとってはほとんど同じように感じられる課題です。しかし、機械にとってはそうではありません。よって、たとえ似たような課題であっても、それぞれの課題ごとに大量のデータを用意し、機械学習を行って、それぞれの課題を解くAIを作る必要があります。

しかし最近では、あらかじめ「共通の基盤」を作り、そこからさまざまな課題を解く個別のＡＩを作り出す方法が用いられるようになりました。その共通の基盤になっているのは「言語モデル」というものです。

言語モデルは、「どのような単語の並びが出てきやすいか」とか「ある単語の周囲にどんな単語が出てきやすいか」などといった、「単語の並びが現れる確率の情報」を持ったものです。そういった情報は、機械が「人間の言葉らしさ」を判断したり、「人間が書きそうな文章」を生み出したりする上で重要です。

ためしに、次の問題を考えてみてください。

問題：次の文のカッコの中に入りそうな言葉を選択肢の中から選んでみてください。

私は、消費税を（　　　　）べきだと（　　　　）。

選択肢：食べる　上げる　愛する　思います　思うでござる　下げる

おそらく多くの方が、「消費税を」の後に続く言葉として「上げる」か「下げる」を選ばれたでしょう。一方で、「食べる」とか「愛する」を選んだ人はあまりいないはずです。なぜかというと、「消費税を食べる」というのは常識的に考えて不可能なことですし、「消費税を愛する」ということもあまりない状況だからです（もちろん、消費税を愛する人が実際にいたとしても問題ありませんが）。このような場合、私たちは「そういう状況は現実にあり得るか」とか「よくあることか、あまりないことか」といった知識を働かせて、「ありそうな言葉の並び」と「なさそうな言葉の並び」を識別しています。

また、「べきだと」の後には「思います」を選んだ人が多く、「思うでござる」を選んだ人は少ないと思います。「思うでござる」は、なんだか唐突な感じがするからです。ここでは私たちが使っているのは、「話し手のキャラクター」および「話し方のスタイルの一貫性」に関する知識です。もしこの文の「私」が「拙者」や「それがし」などといった言葉に変われば、「思うでござる」の方を選ぶ人が増えるでしょう。

「消費税を」の後に「思います」を選んだり、「べきだと」の後に「上げる」を選んだりした人は、おそらくいないはずです。もしそういう選択をしたら、「消費税を思いますべきだと上げる」のような、日本語の文とは言えないものになってしまうからです。つまり私たちは文法の知識を働かせて、「こんな並びはあり得ない」という判断をしています。

こんなふうに、私たちはさまざまな知識を使って「ありそうな言葉の並び」と「なさそうな言葉の並び」を区別し、人間の言葉として自然かどうかを判断しています。ある意味、「単語の並びが現れる確率」には、私たちの常識や文法の知識の一部が反映されていると言えます。

言語モデルは大量の文章を手がかりにして、「言葉の並びが現れる確率」や「ある言葉が別の言葉の近くに現れる確率」を学習したものです。言語モデルには、私たち人間が持っている常識や文法の知識が直接入っているわけではありません。しかし、言葉の並びの現れやすさや言葉どうしの共起のしやすさに関する確率を内部に持つことによって、機械は私たちの「人間の言葉らしさ」に関する判断を上手に真似することができるわけです。

言語モデル自体は以前からよく使われてきたものですが、近年では深層学習との組み合わせにより、「さまざまなＡＩを開発するための共通の基盤」として大きな貢献をすることになりました。その代表的なモデルに、２０１８年にＧｏｏｇｌｅが発表したＢＥＲＴ[13]というものがあります。この言語モデルは、「文章の中にランダムに空けられた穴を埋める課題」と「二つの文が隣り合った文として自然かどうかを判断する課題」のやり方を大量の文章から学習することで作られたニューラルネットワークです。BERTの優れたところは、このネットワークに対して比較的少ないデータによる「再学習」（つまりパラメータの調整）を行わせることで、さまざまな個別の課題を解くAIが作れるというものです。

BERTを利用して作られた各システムは、文章を読解する課題や、二つの文の意味が同じかどうかを判定する課題を含む11の課題で当時最高の精度を叩《たた》き出し、大きな衝撃を与えました。中でも「文章に関する質問に答える課題」では人間のスコアを上回ったと報じられ、研究者のみならず一般の人々の間でも話題になりました。

また、先に「悪用が心配されるほど自然な文を生成できるモデル」として紹介したGPT-2およびGPT-3も、さまざまな課題に応用するために開発された言語モデルです。いずれもウェブ上の大量の文書から「これらの単語の次にどんな単語が来るか」という確率を学習したニューラルネットワークです。面白いことに、これらのモデルではBERTのような「個別の課題のための再学習（パラメータの調整）」をしなくても、さまざまな課題を解けることが知られています。

とくに2020年5月に発表されたGPT‐3は、八年以上かけてウェブ上から収集された大量のデータ[14]を利用して作られたモデルで、1750億ものパラメータを持つ非常に巨大なものです[15]。このモデルは、ほんの数個の「入力と出力の事例」を見せるだけで、すでに持っているパラメータの値を変えることなく多くの課題を解き、高い精度を達成したと報告されています。たとえば、「英語の単語（入力）→フランス語の単語（出力）」という翻訳の事例をいくつか見せることで「英仏翻訳をするシステム」になり、「足し算の式（入力）→その答え（出力）」のような計算の事例をいくつか見せるだけで「足し算をするシステム」になるというから驚きです。

こういった成果の話を聞くと「これらのAIは人間と同じように言葉を理解しているんじゃないか」とか「言語モデルは何でもできる魔法の箱なんじゃないか」という気がしてきますが、そのどちらでもないことに改めて注意が必要です。繰り返しになりますが、BERTにしろGPT‐3にしろ、その内部に持っている情報は「単語の並びが出てくる確率」であり、それは私たちの持つ「言葉の知識」と同じものではありません。むしろ、私たちの持つ知識の一部がそういった確率の中に「溶け込んで」おり、機械が多様な課題を解くのに役立っていると見るのが妥当でしょう。また別の見方をすれば、単語の並びが現れる確率を巧みに取り入れたモデルにこれほど賢い仕事ができること、とくに私たちが「知性がなければ解けない」と思っている課題の多くがそういった確率の情報によって解けることが興味深いとも言えます。

また、これらのモデルは「何でもできる」わけでもなく、苦手や限界もあります。GPT-3についても、「チーズを冷蔵庫に入れると溶けるか？」などといった物理的な常識を必要とする質問を苦手とすることや、長い文章を生成させると同じことを繰り返したり、論理的な一貫性のない文を吐き出し始めたりすることが報告されています。

「さまざまな課題を解くための基盤として言語モデルを利用する」という手法は非常に強力なため、この流れはしばらく続くでしょう。しかし、そろそろ限界が見えてきているという意見もあります。次のブレイクスルーは、もしかすると、まったく別のアプローチから出てくるかもしれません。

ＡＩの言葉に関する問題点

以上で見てきたように、ここ数年の間に、ＡＩの研究は大きな発展を遂げています。ここでもう一度、これまでにお話ししたポイントを押さえておきましょう。

①今のＡＩは、数（の並び）を入力したら数（の並び）を出力するものである。
②機械学習とは、限られた数のデータの中からパターンを発見し、新しいデータに対して分類や予測をする関数を求める技術である。
③深層学習で用いられるニューラルネットワークは、膨大なパラメータを持つ関数と見なすことができる。

以上を踏まえた上で、以下では「今の機械の言葉」にまつわる問題をいくつか見ていきたいと思います。

データに頼った「正しさ」

すでにご説明したとおり、機械学習は、データを手がかりにして「こういう数（の並び）が入力されたら、こういう数（の並び）を出力する関数」を求める技術です。つまり機械学習で開発されるＡＩにとっては、データがお手本であり、正しい動作の基準になります。機械学習のこういった側面には、人間がわざわざ「こういう入力が来たら、これこれこういう過程を経てこういう出力を出しなさい」と機械に命じる必要がないというメリットがあります。つまり、私たちがデータの中に潜んでいる法則性や規則性を自分で見つけたり、言葉で表したりする手間が省けるわけです。しかしその反面、お手本となるデータの数や質によってＡＩの動作が左右される、という問題があります。

たとえば、人と対話をするＡＩについて考えてみましょう。対話をするＡＩに対する入力は「人間からの問いかけ」です。それに対して、ＡＩが出力するのは、入力に対する「自然な応答」です。自然な応答を出力できるＡＩを機械学習で開発する場合には、人間による対話のデータが必要です。対話のデータとは、たとえば次のようなものです。

問いかけ：調子どう？

返答：まあまあだよ。
問いかけ：見た目は元気そうだね。
返答：最近、ジムに通い始めたからね。
問いかけ：どこのジム？
返答：家から近いとこ。

このようなデータを機械学習に利用して、自然な応答ができるAIを作るわけです。この場合、AIが出してくる返答は、開発のときに与えられたデータに影響されます。もし、与えられた対話データの中に倫理的に問題のある内容が大量に含まれていれば、それを利用して開発されるAIも倫理的に問題のある応答をする可能性が高くなります。この本の冒頭で紹介した「人類を滅ぼす」と発言したAIも、おそらく開発時に使われた対話データの中に、そのような物騒な発言が相当数含まれていたのでしょう。

また、機械学習によって開発されるAIが、ある種の「バイアス」を持ってしまう問題も指摘されています。たとえば、会社の人事評価に使われるAIが、女性よりも男性を高く評価してしまうといった問題です。[16] 人事評価をするAIの開発に使われるデータは、たいてい「過去の人事評価のデータ」です。もし、過去の人事評価において女性よりも男性に高い評価が与えられる傾向があれば、そのデータを用いて開発されたＡＩもその傾向を「学習」してしまいます。

機械翻訳システムにおいてもバイアスが見られます。たとえば、日本語の「その医者は自分の子供を診察した」という文では、「医者」および「自分」が男性なのか女性なのかは明確にされていません。しかしこれをニューラルネットワークを使って開発された機械翻訳システムで英訳したところ、「The doctor examined his child」のように、代名詞が男性形の「his」に訳されたという事例があります。これも、開発時に与えられるデータにおいて、医者が男性である状況を述べた文が多かったためであると考えられます。

このように、機械学習によって開発されるＡＩの振る舞いや判断は、開発の際に与えられるデータに大きく依存しています。また、これに加えて、今のＡＩが「開発に使われるデータそのものの正しさを疑うことができない」という点も強調しておくべきでしょう。

再び機械翻訳を例に挙げますが、２０１９年の6月頃、Ｇｏｏｇｌｅ翻訳の英語から中国語への翻訳に関して、とある「事件」が報道されました。

「so sad to see hong kong become china（香港が中国の一部になるのはとても悲しい）」とい

う英語文を入力すると、「香港が中国の一部になるのはとても嬉《うれ》しい」という、まったく逆の意味の中国語文が出てきたというのです。[17] 原因についてはさまざまな憶測が飛び交いましたが、その中に、Ｇｏｏｇｌｅがユーザからのフィードバックのために設けている「翻訳修正案の投稿欄」に、何者かが上記の正しくない訳文を大量に投稿し、それが翻訳システムの動作に反映された、という説がありました。

このときＧｏｏｇｌｅ翻訳に実際に何が起こったのか、今も明らかになっていません。しかし、もし、悪意あるユーザが故意に正しくない訳文を大量に投稿し、機械翻訳システムがそのデータから「再学習」したことが原因なのだとしたら、それは機械学習を用いて開発される今のＡＩにとって深刻な問題を提起していることになります。今のＡＩには、学習用に与えられるデータの間違いを自ら発見し、修正する術《すべ》がないからです。

私たち人間は翻訳をするときに辞書や文法書を参考にしますが、ニューラルネットワークを用いた機械翻訳システムは、そういったものを参照しながら翻訳をするわけではありません。すでに述べたように、今の機械翻訳システムは、人が与える「原文と訳文のデータ」を手がかりにし、原文に対して正しい訳文を出せるようにパラメータを調整した「巨大な関数」です。そこには、語彙《ごい》の知識や文法の知識に基づく「正しい翻訳の基準」はなく、データが頼りなのです。したがって、もし誰かが故意に間違ったデータを大量に与えれば、機械翻訳をするＡＩはそれに影響され、間違った訳文を出すようになってしまいます。

こういった問題に対して、「より多くのデータを与えれば、きっとＡＩのバイアスは解消されるし、動作も正しくなるはずだ」と言う人もいます。しかし、単純にデータの数が増えたからといって、その中にあるバイアスや間違いが解消されるとは限りません。先に紹介した「超巨大言語モデル」ＧＰＴ‐３についても、「女性は男性に比べて外見を表す言葉（beautiful や gorgeous など）を使って形容されやすい」「イスラム教は他の宗教に比べて暴力やテロを表す言葉と一緒に現れやすい」などといったバイアスを含んでいることが報告されています。

どこに目をつけているか分からない

また、機械学習を利用して開発されるＡＩ全般に通じる問題として、「どこに目をつけて判断を下しているかが分からない」というものがあります。

近年、ＡＩによる意外な間違いの事例がいくつも報告されています。それらの中には、私たち人間から見れば非常に理解しがたい事例が数多く含まれています。読者の皆さんの中にも、道路標識にステッカーを貼る程度の変化を加えるだけで自動運転車が標識を正しく認識しなくなるとか[18]、鹿の画像の中の一点を他の色に置き換えるだけでＡＩがそれを「飛行機」だと誤認識するようになる[19]といった話を聞いたことのある方がいらっしゃるでしょう。つい最近では、画像に写っている物体を高い精度で分類できるＡＩが、必ずしも物体そのものではなく「背景」に依存した分類をしていることが指摘されました[20]。また、先に紹介した言語モデルＢＥＲＴを利用した高性能なＡＩについても、入力文の一部を同義語（意味が同じ別の表現）に置き換えたところ、間違った動作をするようになったという事例が報告されています[21]。

こういった例は、高い性能を誇るＡＩが、必ずしも私たちが想定しているような判断の仕方をしているとは限らないということを示唆しています。この章で見てきたように、機械学習においては、機械は限られた数のデータをお手本にし、その中にある規則性や法則性を見いだそうとします。そうすることで、お手本の中にない入力に対してもできるだけ正解を出せるような関数を求めるわけです。ただし、このときに機械がデータの中のどのような側面に目をつけているかは明確ではなく、私たちが認識していないような意外な法則性を利用している可能性があります。もちろん、それがＡＩに求められている仕事にとって本質的な法則性であれば何の問題もありません。しかし、もしそうでない場合は、たとえＡＩがうまく動いているように見えたとしても、それは「目のつけどころは間違っているが、その間違いがまだ露呈していないだけ」ということになります。

このような意味で、機械学習を利用して開発されるＡＩは、どのように動作するかを完全に予測することができません。つまり、ありとあらゆる入力に対して、つねに１００％正しく動くと保証することができないのです。このことは、ＡＩ全般の品質保証の問題につながります。たとえ商品として出荷する前のテストでは十分な精度が出ていたとしても、お客さんの手元でお客さんが与える入力に対して同じような精度が出るとは限りません。機械学習で開発されたＡＩが社会一般に浸透するには、このような事実が広く認識される必要があるでしょう。[22]

AIにさせたい仕事を定義できるか

ＡＩについてよく尋ねられる質問に、「ＡＩには○○ができますか？」というものがあります。「ＡＩは言葉を理解できますか？」「ＡＩは感情を持つことができますか？」「ＡＩには人間のような思考ができますか？」「ＡＩに哲学はできますか？」……などなど、挙げていけばきりがありません。しかし、こういったことについて考える前に、まずはっきりさせておかなくてはならないことがあります。それは、「その○○は、どんな仕事として定義できるのか？」ということです。

すでに見てきたように、ＡＩの中身は「数（の並び）を入力したら、数（の並び）を出力する関数」です。よって、ＡＩを開発するときには、先に「何を入力として、何を出力するか」、また「入力と出力をどんな数の並びとして表すか」を決めなくてはなりません。つまり、「ＡＩにさせる課題（タスク）を定義しなくてはならない」ということです。深層学習はとても強力な方法なので、入力と出力をきちんと定義することができ、学習に使える良質のデータが大量にそろえば、さまざまな課題を高い精度で行える可能性があります。しかし、ただ「こんなことができるようになってほしいなあ」と思うだけではＡＩは作れません。つまり「言葉を理解できるＡＩ」「感情を持つＡＩ」のような漠然としたイメージを、漠然としたまま実現することはできないわけです。

今すでに世間では「人の言葉が分かるＡＩ」とか「人の心が分かるＡＩ」などといった

ことを謳《うた》っているシステムもありますが、それらの実体は「雑談をするＡＩ」だったり、「質問文を入力として受け付け、答えとなる単語を出力するＡＩ」だったり、「文章を入力として、『喜び』『怒り』『悲しみ』などといった感情の種類を出力するＡＩ」であったりします。漠然とした宣伝文句に踊らされないようにするためには、「そのＡＩがする具体的な仕事は、いったいどのように定義されているのか」を見極める必要があるでしょう。

また注意しなくてはならないのは、たとえ人間にとっては似たような仕事であっても、ＡＩにさせる場合は「まったくの別もの」である可能性があるということです。人間の場合は、難しい文章を外国語に翻訳できる人が、文章の要約や日常会話、ましてや言葉の聞き取りもできることなどはほぼ当たり前で、不思議でも何でもありません。よって、機械に対しても、「こんなに高度な翻訳ができるんだから、文章の要約ぐらい簡単だろう」とか、「言葉の聞き取りが人間並みにできるんだったら、当然日常会話はできるだろう」と思いがちです。しかし機械にとっては原則として、翻訳と要約、対話、音声の認識はどれも異なる仕事です。先に述べたように、ＢＥＲＴやＧＰＴ‐３といった言語モデルを「何でもできるＡＩ」と見なすのにも無理があります。

また、「機械学習によって作られたＡＩは、人間がすべてプログラムして作ったＡＩより融通が利くはず」という意見を見たこともありますが、機械学習の「融通」は、あくまで「機械学習がうまくいっている場合は、本来の使われ方（＝それが本来するべき仕事）の範囲内で、開発時に使われるデータには存在しないデータに対しても、高い確率で正解を出せる」ということです。これは、必ずしも「本来想定していない使われ方をされても大丈夫」ということを意味しません。こういった点にも注意が必要です。

ブラックボックス問題

ここまでお話ししてきたように、機械学習を使ってAIを開発するときになされることは、私たち人間が行う知的な仕事を「何が入力で、何が出力か」という観点から定義し直し、機械がそれを上手に真似するための「関数」を求めることです。そこには、私たち人間がそういった仕事をどのように行っているかという視点は必ずしも入っていません。よって、AIによる近似がいくらうまくいっていたとしても、AIが人間と同じようにその仕事を行っているという保証はありません。

また、先にお話ししたとおり、現在の「言葉を扱うAI」のほとんどは、深層学習を用いて開発されたニューラルネットワークです。つまり、言葉を扱うAIの中身は膨大なパラメータを持つ関数であるわけです。言葉を扱うＡＩの中身がそういった関数であるということは、「今の機械の言葉」についての一つの重要な示唆を持っています。それは、「ＡＩの中身を見ても、なぜＡＩが言葉をそのように扱ったのかがよく分からない」ということです。

たとえば、「This is a pen.」という英語の文を入力として受け付けて、「これはペンです。」という日本語文を出力する機械翻訳システムを考えてみましょう。このＡＩにとっては、入力の英語の文も、出力の日本語の文も「数の並び」です。たとえば機械翻訳システムを深層学習で開発する場合、「英語の原文」と「日本語の訳文」のペアを訓練データとして使い、ニューラルネットワークの中のパラメータを調整していきます。調整の結果、そのネットワークが十分な数の英語の文に対して正しい日本語訳を出力できるようになれば、開発は成功したことになります。

しかし、うまく開発できたネットワークを見ても、いったい「This is a pen.」という原文の何がどうなって「これはペンです。」に訳されるのかは分かりません。私たちに見ることができるのは、膨大な数のパラメータを持つ巨大なニューラルネットワーク、つまり非常に複雑な関数です。もちろん、「This is a pen.」に相当する数の並びが、ネットワークの中の各部でどのように計算されるか、またその計算の結果が出力に向かってどのように伝わっていくかは分かります。しかし、そのネットワークが「これはペンです。」に相当する数の並びを出力するまでの過程は、あくまで「数の計算」でしかなく、原文のどの部分が訳文のどの部分にどのように反映されているのかを直接見ることはできません。つまり、私たち人間に理解できる形で「ＡＩの振る舞い」を捉《とら》えることはきわめて難しいのです。

こういった、「ＡＩがなぜそのような振る舞いをしたのかが理解できない」という問題は、ＡＩの「ブラックボックス問題」と呼ばれています。これは、言葉を扱うＡＩに限らず、深層学習を利用して開発したＡＩに共通して見られる問題です。「分からなくたって、うまく動くなら問題ないじゃないか」と思う人もいるかもしれませんが、先に指摘したように、今のＡＩは私たちが想定していないような間違いをします。たとえば平昌《ピョンチャン》オリンピックの際には、ノルウェー選手団の料理人が機械翻訳を使って卵を１５００個注文したところ、訳文ではなぜか1桁増えて「１５０００個」となっており、注文の十倍の卵が届いて困ったという話もありました。[23]

中身がよく分からないということは、ＡＩが間違いを起こした場合に原因を突き止めることが難しく、改善点を見つけるのも難しいということを意味します。こういったことは、人々の健康や安全、経済的・社会的な利益に関わるような部分にＡＩ技術を応用するときに大きなハードルになります。

このような問題を受け、近年では、ＡＩの振る舞いを人間に理解可能な形で説明する技術に関心が高まっています。アメリカの国防高等研究計画局（ＤＡＲＰＡ）では、「説明可能ＡＩ（Explainable AI; XAI）」の開発が推進されています。[24] ただし、一部の研究者からは、そういった技術が本当にブラックボックス問題を解決できるのかを疑問視する声も上がっています。[25]

今のＡＩは言葉を理解している？

以上、この章では機械の言葉の現状についてお話ししました。今のＡＩは、以前よりも格段にうまく言葉を扱えるようになっています。しかし、私たち人間と同じように言葉を理解しているかというと、そうとは言えない面が多々あります。

もちろん、今のＡＩの中身で起こっていることの大部分が私たちに理解できない以上、

「ＡＩがやっていることと、私たちの脳内で起こっていることがたまたま一致している」という可能性はゼロではありません。しかし、その可能性は低いと思われます。この章で見たように、（１）ＡＩにとっての「お手本」が、私たちが行う仕事の「入力・出力」であって、「私たちが具体的にその仕事をどうやっているか」ではないこと、（２）ＡＩがデータのどこに目をつけているのか分からないこと、（３）ＡＩがしばしば思いがけない間違いをすることなどを考えると、そういう「幸せな偶然」が起こっているようには思えません。

一応お断りしておきますが、言葉を扱う機械にとって、「人間と同じように言葉を理解すること」は必ずしも重要なことではありません。ＡＩが人間とまったく違う方法で言葉を扱っていても、私たちの仕事や生活にとって何らかの助けになれば良いのです。実際、言葉を扱う機械の多くは、「人間と同じであること」ではなく、「人間の役に立つこと」を目指して開発されています。しかし、近年ではその性能があまりにも上がっているため、「今のＡＩは人間と同じ」とか「ＡＩは人間を置き換えてしまう」という幻想が広がり、機械の言葉に恐怖を覚える人々まで出てきているわけです。

これから先も、機械の言葉をめぐって同じような傾向が続くでしょう。これからの機械の言葉にどう向き合っていくかについては第五章で考えますが、その前に、私たち人間の言葉について知っておくべきことが多々あります。いよいよ次の章から、ヒトの言葉の謎に迫っていきたいと思います。

4　くわしくは、佐藤理史（２０１６）『コンピュータが小説を書く日』（日本経済新聞出版）をお読みください。

5　Radford, A., Wu, J., Child, R., Luan, D. Amodei, D. and Sutskever, I.（2019）"Language models are unsupervised multitask learners," https://cdn.openai.com/better-language-models/language_models_are_unsupervised_multitask_learners.pdf

6　Brown, T. B., Mann, B., Ryder, N.（et al.）（2020）"Language models are few-shot learners," https://arxiv.org/abs/2005.14165

7　「囲碁や将棋の局面なんて、どうやって数で表すの？」と思われるかもしれませんが、表し方はいくらでもあります。たとえば、非常に雑なやり方ですが、将棋ですと〈手番を表す数〈先手なら0、後手なら1〉、１一マスの状態を表す数〈駒がないなら0、歩なら1、香車なら2、桂馬なら3……というふうに各駒に割り当てた数〉、1二マスの状態を表す数、1三マスの状態を表す数、……、9九マスの状態を表す数、先手番の持ち駒の一つ目を表す数、先手番の持ち駒の二つ目を表す数、……、後手番の持ち駒の一つ目を表す数、後手番の持ち駒の二つ目を表す数、……、）のように「手番」「各マスの状態」「持ち駒」を表す数と、数の並びの中でどれをどこに割り当てるかを決めればいいわけです。

8　ここでは説明を簡単にするため、訓練データの出力と関数の出力がぴったり一致するようにパラメータを調整していますが、実際の機械学習においては「訓練データに見られるパターン（傾向）を捉えること」が重要であり、必ずしも「出力を完全に一致させること」を目指すわけではありませんのでご注意ください。

9　Krizhevsky, A., Sutskever, I. and Hinton, G. E. (2012) "ImageNet classification with deep convolutional neural networks," In *Proceedings of Advances in Neural Information Processing Systems,* 25.

10　参考：河原達也（２０１８）「音声認識技術の変遷と最先端」、『日本音響学会誌』74巻7号

11　ＡＩ研究においては、ニューロンにあたる部分は「ノード」と呼ばれることもありますが、本書では「ニューロン」という呼び名で統一します。

12　実際には、「入力×重み」の合計から出力を決める際には、ここで説明しているような「しきい値以上ならばこの数、小さければこの数」という決め方だけでなく、「入力×重み」の合計に応じてよりゆるやかに値が決まる関数を使う方法もあります。深層学習ではそのような関数を使うの

が普通です。
13　Devlin, J., Chang, M-W., Lee, K., Toutanova, K.（2018）"BERT: Pre-training of Deep Bidirectional Transformers for Language Understanding," Proceedings of NAACL-HLT 2019, 4171-4186.
14　Common Crawl データセット：https://commoncrawl.org/the-data/
15　より正確に言えば、ＧＰＴ－３にはサイズの異なるいくつかのモデルがあり、１７５０億ものパラメータを持つモデルはそのうちの最大のものです。
16　NHK NEWS WEB「Ｗｅｂ特集 ＡＩがあなたを差別するかもしれません」、２０１９年12月16日。
17　NHK NEWS WEB「香港が中国の一部になると『うれしい』？　グーグル翻訳に憶測」、２０１9年6月14日。
18　Eykholt, K., Evtimov, I., Fernandes, E., Li, B., Rahmati, A., Xiao, C., Prakash, A., Kohno, T. and Song, D.（2018）"Robust Physical-World Attacks on Deep Learning Visual Classification," Computer Vision and Pattern Recognition（CVPR 2018）, https://arxiv.org/pdf/1707.08945.pdf
19　Su, J., Vargas, D. V. and Sakurai, K.（2017）"One pixel attack for fooling deep neural networks," arXiv:1710.08864.
20　Xiao, K., Engstrom, L., Ilyas, A., Madry, A.（2020）"Noise or Signal: The Role of Image Backgrounds in Object Recognition," https://arxiv.org/abs/2006.09994
21　Jin, D., Jin, Z., Zhou, J. T., Szolovits, P.（2019）"Is BERT Really Robust? A Strong Baseline for

Natural Language Attack on Text Classification and Entailment," https://arxiv.org/abs/1907.11932

22　機械学習を利用したシステムの品質保証については、以下に掲載された石川冬樹氏および中島震氏のインタビューに分かりやすく解説されています。

国立情報学研究所（２０１８）『NII Today』81号。https://www.nii.ac.jp/about/upload/NIIToday_81.pdf

23　Reuters「平昌オリンピックで珍事件、ノルウェー選手団が卵1.5万個誤発注」、２０１８年２月15日。https://jp.reuters.com/article/idJP00093300_20180215_00720180215

24　原聡（２０１９）「私のブックマーク　説明可能ＡＩ」、『人工知能』34巻４号、577-582.

Matt Turek "Explainable Artificial Intelligence," https://www.darpa.mil/program/explainable-artificial-intelligence

25　野澤哲生「説明可能ＡＩは幻想か」、日経クロステック、２０２０年４月６日。

第二章　言葉の意味とは何なのか

第一章で見たように、今のＡＩは私たち人間の「言葉の理解の仕方」や「言葉の使い方」を忠実に再現しているわけではありません。また、ニューラルネットワークに基づくＡＩの中身は人間にとって非常に分かりづらいため、そういったＡＩが私たち人間と同じように言葉を理解しているかどうかを確かめることもできません。

またその一方で、私たち人間がどのように言葉を理解しているかということも、いまだ謎に包まれています。私たちが言葉を理解する能力（言語能力）については、言語学やその周辺の分野で盛んに研究されていますが、それでも完全な解明に至るまでには時間がかかりそうです。当然のことながら、人間の言語能力についての理解が進まなければ、ＡＩが「人間と同じように言葉を理解しているかどうか」も判断できないことになります。

多くの人々にとって、言葉を話したり理解したりするのは当たり前にできることです。それゆえに、いったい言葉の何がそんなに難しいのか、そこにどんな謎があるのか、いまいちピンとこない方も多いのではないでしょうか。しかし、そもそも「言葉の意味とは何か」という基本的な問題にも、まだ明確な答えが出ていないのです。この第二章ではそういった意味の問題を中心に、人間の言葉の謎に触れていきたいと思います。

意味は辞書に全部書いてある？

本書ではこれまでにも何度か、「人類を滅ぼす」と発言したＡＩのことを取り上げてきました。しかし、そもそもＡＩが本気で「人類を滅ぼす」と言うためには、少なくとも「人類」や「滅ぼす」といった言葉の意味を知っていなくてはなりません。たとえ人間であっても、「人類」や「滅ぼす」の意味を知らない人が「人類を滅ぼす」と言うのは、本気で言っているうちに入らないでしょう。それらの言葉を知らない小さい子供がテレビの悪役の真似をして「じんるいをほろぼしゅ」などと言ったり、日本語をまったく知らない人が「じんるいをほろぼす」などと言わされたりしているのを見たところで、誰も彼らが本気で言っているとは思わないはずです。しかし、「人類」や「滅ぼす」といった言葉の意味が分かるとは、いったいどういうことでしょうか。

多くの人々にとって、「言葉の意味」と聞いて最初に頭に思い浮かぶのは「辞書」だと思います。私たちは、他人から「この言葉の意味は何？」と聞かれたとき、たいていは辞書に書いてあるようなことを答えます。「言葉の意味は全部、辞書に書いてある。だから、本屋さんで売られている辞書をすべてコンピュータに読み込ませれば、言葉の意味が分かるＡＩが作れるはずだ」というご意見も、これまでにたくさん耳にしてきました。この本の第一章を読まれた方は、こういったご意見が的外れであることがお分かりになると思います。コンピュータに読み込まれた辞書の中身は、コンピュータの内部では「文字コードの並び」でしかないからです。しかしここではこういった問題はとりあえず置いておいて、私たちが持っている「単語の意味に関する知識」が辞書と同じような中身を持っているのかについて考えてみましょう。

先に結論を言ってしまいますと、辞書に書かれていることを、私たちが持っている「意味の知識」と同一視することはできません。辞書に書いてあるのは、見出しの単語の「説明」や「言い換え」であり、それらは言葉の意味そのものだとは言えないからです。

たとえば、日本語を知っている人はたいてい、「理由」という言葉の意味と「根拠」という言葉の意味を知っています。普段の会話や文章でも、それらの言葉を当たり前のように使っています。これらの単語を辞書で引いてみると、次のように書かれていることがあります。

【理由】物事がそのようになった根拠。
【根拠】物事が存在する理由。

「理由」の説明の中に「根拠」があり、「根拠」の説明の中に「理由」があることに、すぐにお気づきになると思います。このような辞書の説明が「言葉の意味そのもの」だとすると、「理由」という言葉の意味を知っているということは、「物事がそのようになった根拠」という説明の意味を知っているということになります。そして、この説明の意味を知っているということは、この中に含まれる「根拠」という言葉の意味を知っている、ということになります。しかし、「根拠」についての辞書の説明を見てみますと、「物事が存在する理由」となっており、この中には「理由」という言葉が入っています。つまり「根拠」の意味を知るには、「理由」という言葉の意味を知らなくてはなりません。

ここで、(1)「理由」の意味を知るには「根拠」の意味を知らなくてはならない、(2)「根拠」の意味を知るには「理由」の意味を知らなくてはならない、という状況が生じていることが明らかになります。つまり、辞書の説明を意味そのものだと見なすと、このような無限のループ（袋小路の状態）に陥ってしまい、「理由」の意味も「根拠」の意味も永遠に分からないことになってしまうのです。

このことは、「理由」と「根拠」という例だけに限ったことではありません。たとえば、「人類」を辞書で引くと、次のように説明されていることがあります。

【人類】（他の動物と区別される存在としての）人間。

この中の「人間」を辞書で引くと、次のような説明が出てきます。

【人間】ひと。人類。

ご覧のとおり、この中には「人類」が入っています。もう一つの「ひと」を辞書で引くと、次のように「人間」「人類」が両方出てきます。

【人】霊長目ヒト科に属する哺乳類《ほにゅうるい》。学名はホモ - サピエンス。人間。人類。

ついでに、「ホモサピエンス」も引いてみましょう。そこにも「人類」「ヒト」が出てきます。

【ホモサピエンス】現生人類の学名。ヒト。

このように、辞書の説明の中にある言葉をまた辞書で引く、ということを繰り返していくと、どこかでそれ以上進めなくなってしまいます。

辞書に書いてあるような「言葉による、言葉の意味の説明」は、私たちが知らない言葉の意味を学ぶときにはとても役立ちます。また、私たちの知っている言葉の中には、私たちが見たことも聞いたこともなく、言葉による説明でしか知らないようなものも存在します。しかし、私たちが「言葉による説明」で言葉の意味を学ぶことができるのは、私たちがすでに「言葉による説明に頼ることなく、いくつかの言葉の意味を知っている」からです。

たとえば「人間」という言葉の意味を知らなかった人が、辞書を読んで「『人間』の意味は『ひと』なのか。よし、分かった！」と思うのは、その人がすでに「ひと」という言葉の意味を知っている場合のみです。そしてその場合、その人は「ひと」の意味を、辞書に書いてある「言葉による説明」によって知ったのではなく、それ以外の方法で知ったということになります（なぜなら、辞書の「ひと」の項目には「ホモサピエンス。人間。人類」のような説明しかないからです）。

つまり、私たちの知っている「言葉の意味」の中には、「言葉による説明」ではないものが含まれている、ということになります。しかし、いったいそれは何なのでしょうか？

意味は心の中のイメージか？

言葉の意味とは何かという問いに対して、「意味はイメージだ」という答えもよく耳にします。つまり、何らかの言葉を聞いて、私たちが心の中に浮かべる何かしらのイメージが、その言葉の意味であるとする考え方です。「猫」の意味は猫のイメージであり、「走る」の意味は走る動作のイメージであり、「可愛い」の意味は可愛いイメージである……という感じです。

「意味＝各人の心の中にあるイメージ」という考え方は、哲学では「意味の心像説」と呼ばれています。その歴史は古く、明確に打ち出したのは哲学者ジョン・ロックであると言われています。この説は、私たちのぼんやりとした直感に合っている感じがするためか、今でも多くの人々に受け入れられています。しかし、この説が意味研究の歴史の中で生き残れているかというと、必ずしもそうだとは言えません。

意味の心像説は、哲学の歴史の中ではフレーゲやウィトゲンシュタインといった哲学者に批判されています。中でも一番ストレートな批判は、「イメージによって意味を捉《とら》えることができない言葉が相当数ある」というものです。

たとえば、「無」という言葉を考えてみましょう。私たちはこの言葉の意味を知っていますし、もし別の言葉で言い換えろと言われたら「何も存在しないこと」のように答えるでしょう。しかし、「無のイメージ」とはどのようなものでしょうか？　私たちは「無」という言葉を聞いて何らかのイメージを頭に思い描くことができますが、それは本当に「無」でしょうか？　「真っ白な空間」は「無」のイメージとしてはありがちですが、これを思い浮かべた場合、そこには「白い色」とか「空間」という要素が存在します。「真っ黒い面」を思い浮かべたとしても、そこには「黒い色」や「面」という要素が存在します。「無」というのは「何も存在しないこと」と同じなのに、何らかのイメージに結びつけると、色や空間や面が存在することになります。つまり、矛盾が生じてしまいます。「無」以外の抽象的な言葉についても、「イメージに結びつけようとすると余計な要素が入ってくる」という問題が起こります。飯田《いいだ》（1987）[26]には、「数」の例が挙げられています。たとえば「五」という数のイメージは、多くの人にとっては五個の石ころだったり、五円玉だったり、「五という数と関係のある、具体的な何か」であることでしょう。しかしそこには、「石ころ」や「金属の貨幣」など、「五」以外の要素が入ってきてしまいます。「抽象的な言葉なんてそんなにないんだから、そんなのはどうでもいいじゃないか」という意見もあるかもしれません。しかし、私たちが具体的だと思っている言葉ですら、その意味を「イメージ」だと考えるとしばしば問題が起こります。

たとえば「友達」はどうでしょう。「友達」と聞くと、皆さんの中にはご自身のお友達の顔や、公園で遊んでいる子供たちの姿が思い浮かぶかもしれません。しかし、それらのイメージが「友達」の意味そのものだとすると問題が生じます。公園で一緒に遊んでいる子供たちが本当に友達であるとは限りません（もし子供たちの一人に「君たちはお友達？」と聞いたら「違う。知らない子たちだけど、誘われたから遊んでるだけ」と答えるかもしれません）し、逆に、一度も会ったことがなくても友達である、ということはあり得ます。それに、皆さんのお友達も、出会う前は友達ではなかったでしょうし、これから先もずっと友達だとは限りません。また当然のことながら、皆さん以外の人々にとって、その人が友達だとは限りません。いずれにしても、「友達」の意味をイメージだとすると、それは「今現在、あなたの友達である人」とか、「一緒に遊んでいる人々の集まり」と区別ができなくなってしまいます。

「人類を滅ぼす」という言葉の中に含まれる「人類」という言葉についても、同じような問題を見いだすことができます。私たちは「人類」という言葉を聞くと、大勢の人々の集まりだとか、さまざまな国籍や人種の人たちが地球の上で手をつないでいるイメージなどを思い浮かべます。しかし、それらが「人類」の意味にふさわしいかを考えてみると、必ずしもそうだとは言えません。人の集まりは、人類としてひとくくりにされる集団のほんの一部を表しているに過ぎません。この世の人類全体をイメージや画像で表現するのはスペース的に不可能ですし、たとえそれができたとしても、「この世にいる人すべての集まり」と「人類」がまったく同じかどうかは疑問です。「人類」という言葉には、今いるすべての人間や、過去にいたすべての人間だけでなく、未来に生まれてくる人間もすべて含まれるはずだからです。

私たちが言葉を聞いたときに、頭に何らかのイメージを思い浮かべることは事実です。しかしそれらはあくまで、私たちが言葉を理解するときに「付随して現れるもの」であって、それ自体を意味だと考えるのには無理があります。

意味は頭の中にあるのか？

「意味とは脳の状態である」と考えている人もいらっしゃるかもしれません。これは、「意味は心の中のイメージである」という説と同じく、意味を「頭の中にあるもの」とする考え方です。

脳科学の発達のおかげで、最近では、私たちが言葉を話したり言葉を理解したりするときに脳のどの部分がどのように活動しているかが、以前よりもくわしく分かるようになってきました。もともと脳の研究は、事故や病気で脳を損傷した人々の症例を観察することで脳についての知見を得ていましたが、近年では健康な人の脳の活動を観察して分かることも増えてきています。

人間の脳の活動を観察する方法の一つに、脳機能イメージングというものがあります。

この手法では、被験者に何らかの課題を行わせ、課題を行っているときの脳のＭＲＩ画像と、課題を行っていないときの画像とを比較します。そうやって、課題を行う際に活性化している部分を特定するわけです。近年では脳機能イメージングを利用した研究により、脳内の「辞書」を三次元で再現しようとする研究もなされています。[27]ただし、こういった脳内辞書の再現は簡単なものではなく、人によって脳の反応にかなりの差が見られるなどの問題が指摘されています。[28]しかし、もしこういった研究がうまくいって、「この単語の意味は、脳のこの部分でこのように処理されている」といったことが明らかになったとしたら、「意味＝その言葉を理解するときの脳の状態」という考え方が現実味を帯びてくるかもしれません。

しかし、こういった「意味は頭の中にある」とする考え方に対しては、言語哲学の分野から強力な反論がなされています。それは、ヒラリー・パトナムの「双子の地球」を用いた議論です。[29]もし、「意味＝その言葉を理解するときの脳の状態」だとすると、私たちが同じ脳の状態で何かを言ったときは、同じ意味のことを言ったことになります。「双子の地球」はそれに対する反論です。以下で、簡単に説明しましょう。

宇宙のどこかに、私たちの地球にそっくりな星があるとします。それを「双子地球」と呼びます。双子地球では、その中の物質も、生物も、地理も地球にそっくりです。私たち地球人にそっくりな「双子地球人」もいます。その中には、私やあなたの「双子地球人バージョン」も存在して、私たちにそっくりな見た目や脳や内臓を持っています。双子地球人が言葉を理解したり話したりするときの脳の状態も、地球にいる私たちとまったく同じです。

さて、その双子地球には「水」と呼ばれる物質があります。その物質は地球の水と同じく、透明で、さらさらしていて、飲むことができ、双子地球の海や湖や川を形成し、なおかつ双子地球人が生きていくのに欠かせないものです。そして、双子地球人バージョンの「私」が双子地球の水を指して「水」と言うときの脳の状態と、私が地球の水を指して「水」と言うときの脳の状態は、まったく同じです。ただし、私たちの地球の水と双子地球の水には、たった一つ、違いがあります。それは、地球の水の化学式が「H_2O」であるのに対し、双子地球の水は「XYZ」であるということです。つまり、分子のレベルで見れば、地球の水と双子地球の水は別の物質なのです。

こういう状況で、双子地球人バージョンの「私」が双子地球の水のことを考えながら「水を飲みたい」と言う場合と、地球人である私が地球の水のことを考えながら「水を飲みたい」と言う場合を考えてみましょう。

このとき、双子地球人の「私」の脳の状態と、地球人の私の脳の状態はまったく同じです。しかし、「私たち」がまったく同じことを言っているかというと、そうとは言い切れません。なぜかというと、双子地球人の「私」はXYZを飲みたいのであって、H_2Oを飲みたいのではないからです。また、地球人の私も、H_2Oを飲みたいのであって、XYZを飲みたいのではありません。つまり、脳の状態がまったく同じであるにもかかわらず、同じ意味のことを言ったことにならないのです。

この議論が示しているのは、言葉の意味は私たちの脳の状態のみによって決まるものではない、ということです。この主張にはさらなる反論も出ていますが、単純に「意味は頭の中にある」という考え方の問題点を示す強力な議論であると思います。

意味は頭の外にある？

双子地球の話は、言葉の意味が必ずしも「心の中のイメージ」や「脳の状態」といった「私たちの頭の中だけで決まるもの」ではなく、頭の外――つまり現実世界に関わっているということを示唆するものです。私たちの言葉が、現実世界の物事と何らかの関係を持っていることは事実です。そしてその関係はしばしば、「言葉が現実世界の物事を指し示す」と表現されます。確かに私たちは、何かを指さしながら「あれ」や「それ」という言葉を使ったり、自分のことを「私」「俺」「僕」などという言葉で指し示したりします。つまり言葉の中には、「現実世界の何かを指し示すこと」が主な機能であるようなものがあります。

言葉の意味についての考え方の中には、こういった「指し示す」という機能をあらゆる言葉に広げ、言葉の意味を「それが指し示している、現実世界にある何か」だとするものがあります。その考え方にのっとれば、あなたの名前の意味はあなた自身であり、「日本」という言葉の意味は日本という国そのものであり、「猫」の意味は現実世界の猫、ということになります。この立場では、「言葉の意味が分かること」というのは、「言葉と、それが指し示している現実世界の物事を結びつけられること」になります。

「意味＝その言葉が指し示している現実世界の物事」という説も、「意味＝心の中のイメージ」と同じくらい、私たちの日常的な感覚に合っているように思えます。読者の皆さんの中にも、「やっぱりそうでしょ。私は最初からそう思っていた」とうなずいている方がいらっしゃることでしょう。近年、画像認識や画像生成（言葉から画像を描き出す技術）の精度が高まったのに伴い、「ＡＩが言葉の意味を理解するようになった」という意見が聞かれるようになりました。そのような意見を持つ人はおそらく、「『猫』という言葉を、現実世界にいる猫（の画像）と結びつけられること」と、「『猫』という言葉の意味が分かること」とを同一視しているのだと思います。

しかし、「意味＝言葉が指し示している現実世界の物事」という考え方をさまざまな言葉や表現に広げていくと、よく分からない事例に行き当たります。

まずは、抽象的な言葉の問題です。これは、つい先ほど見た「意味＝心の中のイメージ」説でも問題になりました。「意味＝心の中のイメージ」説については、「無」のような言葉をイメージで捉えようとすると、どうしても余計なもの（色、空間、面など）が入ってくることが問題になっていました。これに対し、「意味＝言葉が指し示している現実世界の物事」説については、「無」という言葉がそもそも現実世界において何を指すのかがはっきりしない、ということが問題になります。「無」というのは何もないことなので、「現実世界に存在する何か」を指すと考えるのは、確かにおかしい気がします。

しかし、「無」は「無という概念」を指している、という考え方もあり得ます。つまり、抽象的な言葉は何らかの抽象的な概念を表している、という考え方です。こういう「概念」のようなものが、現実世界のどこかにあると考えるのは、人によっては「気持ち悪い」と思われるかもしれません。しかし、「絶対にそんなものはない」と言うのも難しそうです。

抽象的な概念が実在するかという問題はとりあえず置いておいて、さらなる問題を見てみましょう。「意味＝言葉が指し示している現実世界の物事」という説には、「は」「が」「だけ」「も」「そして」「あるいは」「わけではない」「ならば」などといった言葉の意味が扱いづらいという問題もあります。これらの言葉については、「何らかの概念を指し示している」と言うのも無理があります。そもそも「は」や「が」や「だけ」に対応する概念と言われても、いったいどんなものか分かりません。

「は」「が」「だけ」などのような語は、言語学や自然言語処理の分野では「機能語」と呼ばれることがあります。機能語の多くは文を組み立てる部品として使われますが、意味を持っていないというわけではありません。実のところ、私たちは「だけ」と「も」の意味の違いや、「は」と「が」の意味の違いなどを知っています。だからこそ、「花子は太郎のことだけを愛している」という文と、「花子は太郎のことも愛している」のような文が異なる意味を持つと判断できるわけです。機能語のような、現実世界の何かを指し示していると考えにくい語の「意味」についても私たちが判断力を持っていることは、「意味＝言葉が指し示している現実世界の物事」という説には捉えがたい事実です。

こういった問題に対して、「抽象的な語や機能語は別として、それ以外の語の意味は現実世界のものと考えていいじゃないか」という意見もあると思います。しかし、具体的なものを指し示していると考えられる語についても、次のような問題があります。

たとえば、「宵の明星」と「金星」という言葉について考えてみましょう。ご存じのとおり、宵の明星は夕方の空に現れる金星のことです。つまり「意味＝言葉が指し示している現実世界の物事」という考え方では、これら二つの言葉は同じ意味を持っていることになります。そして、もしこの考え方が正しいとすると、次の二つの文の意味はまったく同じであるということになります。

（A）宵の明星は金星である。

（B）金星は金星である。

しかし本当に、この二つの文が同じ意味を持つと考えていいのでしょうか？　どなたでもおそらく、（A）と（B）に何らかの違いがあることに気づかれるでしょう。実際、（A）の文は私たちに何らかの情報を伝えるものです。もし宵の明星の正体を知らない人がこの文を聞いたら、「宵の明星って金星のことなのね」というふうに、新しい知識を得ることができます。これに対し、（B）はただ当たり前のことを言っているだけで、ほとんど情報量がありません。

同じような問題を提起する言葉のペアは他にもたくさんあります。たとえば「1＋1」と「2」はどちらも同じ数を指しますが、「1＋1は2である」という文と「2は2である」という文は違う意味であるように感じられます。前者は数学における事実を述べているのに対し、後者は当たり前のことをわざわざ言っているだけだからです。

この問題を指摘したのは、哲学者のゴットロープ・フレーゲです。[30] この問題により、言葉の意味を考えるにあたっては、「言葉が指し示すもの（指示物）」だけでなく「私たちが指示物をどう捉えているか」という側面も考慮する必要があることが示唆されました。つまり「宵の明星」と「金星」は指し示す物体は同じですが、「物体の捉え方」が違うため、（A）は（B）とは違って情報量のある文になっているというわけです。

このように、非常に具体的なものを指し示すと思われる言葉についても、単純に「意味＝言葉が指し示している現実世界の物事」とするわけにはいかなそうです。

意味が分かることは、言葉を適切に使えることなのか

私たちはこれまで、「意味とは何か」に関する説をいろいろ見てきました。実は、これまでに見てきた「意味＝辞書の説明」「意味＝心の中のイメージ」「意味＝脳の状態」「意味＝外の世界にある何か」とする説はどれも、「意味とは何らかの『もの』であるはずだ。だとしたら、それはいったい何なのか」という問題意識から生じたものです。

意味の研究者の中には、こういった「言葉の意味は、何らかの『もの』である」という

考え方自体がおかしい、と言う人たちがいます。その人たちは、意味という「もの」について考えるより、むしろ「言葉の意味が分かるとはどういうことなのか」とか、「何ができれば、意味が分かっていると言えるのか」という問いに答えるべきなのではないか、と考えています。

そのような立場から出てきた説の一つに、「言葉の意味が分かること＝その言葉の適切な使い方を知っていること」というものがあります。中でも代表的なものが、ルートヴィヒ・ウィトゲンシュタインの唱えた「言語ゲーム」です。[31] ウィトゲンシュタインの説の特徴は、私たちが言葉を使ってする行為を「ゲーム」と捉えるところにあります。私たちは毎日、言葉を使って何かをしています。たとえば、人に向かって「おはようございます」とか「こんにちは」と言うことは、「挨拶《あいさつ》をする」という行為です。手術中の医者が看護師に「メス」「鉗子《かんし》」などと言うのは、それらの道具を要求するという行為です。卒業式の最初に「これから〇〇中学校の卒業式を始めます」と言うのは式を始めるという行為であり、式の最後に「以上をもちまして、〇〇中学校の卒業式を終わります」と言うのは式を終了するという行為です。校長先生が卒業生に向かって「ご卒業おめでとうございます」と言うのは祝う行為であり、生徒の代表が先生方に

「三年間、ありがとうございました」と言うのは感謝する行為です。

こういった「言葉を使って行う行為」がうまくいくかどうかは、私たちが自分の置かれた状況や、その場の文脈、国や地域の文化、社会の慣習をどれほど理解しているかによります。

たとえば、挨拶をうまく行うためには、どんな状況でどんな言葉で挨拶すべきか知っていなくてはなりません。相手に会ったときに挨拶をせずにいきなり話を始めて、話の途中で「こんにちは」と言うのは明らかにおかしいですし、朝に会った相手に「こんばんは」と言うのも変です。また、手術に必要な道具を手に入れるためには、誰に対してどんな言葉でそれらを要求すべきかが分かっていなくてはなりません。

ウィトゲンシュタインは、「私たちが言葉を使ってどのように行動すべきか」ということが、文脈や文化や慣習によって決められている「ルール」であると考えました。そして、そういったルールのもとで行われる私たちの言語行動を「ゲームのようなもの」と考え、「言語ゲーム」と名付けました。言語ゲームの中では、「言葉」はゲームのプレイ中にやり取りされる駒やチップのようなものだと位置づけられています。その上で、「言葉の意味が分かること」を「言語ゲームの中で、言葉をどう使えば適切なのか知っていること」と考えたのです。

このような考え方に「しっくりくる」と思う人もたくさんいらっしゃるでしょう。とくに、「こんにちは」「ありがとうございます」のような言葉は、何か具体的なものを表しているというよりも、私たちの行為（挨拶）の一部だと考えた方が自然であるように思えます。この考え方を広げていけば、私たちが会話の中で「うんうん」「なるほど」と相づちを打ったり、手紙の最後に「これからもよろしくね！」と書いたりするのも、慣習によって決められたゲームの一部であるような気がしてきます。

しかし、私たちの発する言葉がすべてそういうものかというと、疑わしい面もあります。私たちは実際、それまでに聞いたこともないような文を発したり、理解したりすることができます。短い文だけならまだしも、非常に複雑な長い文も理解できます。たとえば私がこうやって長々と書いている文章を、今皆さんは読んでくださっています。ある意味、私が発した言葉を皆さんが理解してくださっているわけですが、それも「慣習的なルールによって支配されたゲームの一部」であり、私の文章も「ゲームの駒」なのでしょうか？どうも、素直に「そうだ」とは言い切れないように思います。

また、その場その場で言葉を使って問題なく振る舞えることを「言葉の意味を理解している」ことと同一視すると、「振る舞いだけを見て、言葉を理解しているかどうかを判断していいのだろうか？」という疑問も出てきます。

くわしいことは忘れましたが、かなり昔に、日本語をまったく知らない外国の方が日本を訪れるドキュメンタリーを見たことがありました。その人はあらかじめ番組のスタッフに「日本では、『どうも』と言っておけばどうにかなる」と教えられて、日本滞在中は「どうも」しか言いませんでした。挨拶も「どうも」、感謝も「どうも」、食事を食べる前も食べた後も「どうも」です。私の記憶が正しければ、その人は「どうも」一言で、さまざまな状況に対してうまく対処していました。つまりその人は、「どうも」という言葉を適切に使えていたと思います。しかしそのことと、その人が「どうも」という言葉の意味を理解していることを同一視していいのか、疑問が残ります。

また、「振る舞いだけを根拠にして、言葉を理解しているかどうかを判断していいのか」という問題は、機械が言葉を理解しているかどうかを判断する際にも起こることです。くわしくは、第五章で説明します。

意味の違いを認識すること

ここまでの議論の中ではたびたび、「意味が同じか、違うか」という私たちの感覚を取り上げてきました。「意味＝心の中のイメージ」説には「無」と「真っ白な空間」の意味が区別できなくなるという問題がありましたし、「意味＝脳の状態」説については地球の「水」と双子地球の「水」という二つの言葉を区別できなくなるという問題を見ました。さらに「意味＝言葉が指し示している現実世界の物事」説には、「金星」と「宵の明星」の意味が区別できなくなるという問題がありました。

これらのことを考えると、どうも「意味の違いが分かる」「意味を区別できる」ということが、人間の言語理解にとって重要なポイントであるようです。実際、「違いが分かる」ということの重要性は、子供の言語習得の研究からも明らかになっています。

通常、私たちが「言葉を覚える」と言うとき、念頭にあるのは「言葉と、それが表すものとを結びつける」というイメージです。私たちは外国語を学ぶとき、「これは、英語では何と言うのだろう」とか、「英語のこの単語は、何を指しているのだろう」などといった問題意識を持ちます。そして、単語とそれが表すものとの対応が分かれば、「その単語を覚えることができた」と考えます。たとえば私たちが「blue という英単語を覚えた」と言うとき、それはたいてい「その単語が青い色を表していることを覚えた」ことを意味しています。

しかし「単語と、それが表すものの対応が分かる」ということは、私たちが考えているよりも複雑なことであるようです。今井《いまい》むつみの『言葉の発達の謎を解く』[32]によれば、「あお」という言葉を知っている子供にさまざまな色の色鉛筆を見せて「あおはどれ？」と尋ねると、青い色の鉛筆を正しく選べるときと、緑色を選んでしまうときがあるそうです。つまり、その段階の子供には青と緑の境界が分かっておらず、それゆえに「あお」という言葉がどんな色に対応しているかが正確には分かっていないのです。この例が示しているのは、単語とそれが表すものとの結びつきが分かるには、「その単語が表すもの以外」との境界がどこにあるかまで理解しなければならない、ということです。

今井は、単語の意味の理解には（1）その言葉と似た他の言葉を全部知っていること、（2）それぞれの言葉が表すものの境界を理解できていることが必要であると述べ、（1）と（2）を合わせて「意味のシステムの理解」と呼んでいます。単語の意味に関する私たちの知識は、単に「現実世界のものにつけられたラベル」ではなく、それぞれの単語が互いに関連づけられながら全体として働くシステムであるらしい、ということです。人間についてであれ、機械についてであれ、「(この人/このAIは)単語の意味が分かっている」と言うには、少なくともこのような「システムとしての理解」が必要になりそうです。

「ものには名前がある」と認識すること

では、ある言語の中に含まれる単語を全部知っていて、それぞれの単語の表すものの境界をすべて知っていれば、単語の意味が分かったことになるのでしょうか? 今のAIは、以前よりも「分類」や「識別」が得意になっており、非常に多くの物体を高い精度で識別し、それぞれを表す言葉を答えることができるようになっています。そういったAIは、単語の意味を知っていることになるでしょうか?

ここで注意しなくてはならないのは、AIが見せる「物体を識別して言葉と結びつける」という振る舞いが、必ずしも人間による言語理解と同じだとは言えないということです。

なぜなら私たちの中には、「ものには名前がある」という、抽象的な理解があるからです。私たちは、「猫」という言葉と、実物の猫の間に、「表すもの」と「表されるもの」という関係が成り立っていることを理解しています。そういった理解がない場合、猫の画像を見て「猫」という言葉を口にするのは、単なる「反応」だということになります。

人間の中に「ものには名前がある」というメタな理解があることを端的に表すエピソードの一つとして、有名なヘレン・ケラーの話が挙げられます。[33] 目と耳と口が不自由だった子供時代のヘレンは、家庭教師のサリバン先生から指文字でものの名前を教わっていました。サリバン先生は、コップや水などといった物体をヘレンに触らせ、その物体を表す名前をヘレンの手に指文字で示すという方法を使っていました。ヘレンもやがて、ものを触ると指文字でその名前を綴《つづ》るようになりました。しかし、そのときはヘレンにはまだ「ものと名前の関係」が分かっていなかったそうです。

ある日、ヘレンが家の外のポンプで水に触れているときに、サリバン先生はヘレンの手に「水（water）」と綴りました。そのとき突然、ヘレンは「『水』は、この物質を表す名前である」ということに気がつきます。それ以降、ヘレンは「言葉が表すもの」と「言葉によって表されるもの」の関係を完全に理解し、それまでよりも急速に多くの言葉を学んでいったとのことです。

つまり私たちは、単語の意味をシステムとして理解していることに加えて、「ものには名前がある」「名前とものの間には、表すものと表されるものの関係がある」ことも理解しているわけです。ＡＩが人間と同じように単語の意味を理解しているかどうかを判断するには、この点を無視することはできないでしょう。しかし、それをどうやって判断したら良いかは、今のところ不明です。

ここまでこの本を読んでくださった皆さんの中には、「ＡＩの中に直接、言葉で『ものには名前がある』って書き込めばいいじゃないか」と思われる方はさすがにいらっしゃらないと思います。実のところ、ＡＩに「ものには名前がある」と言葉で教えたとしても、これはそのまま「ものには名前がある」という文の意味を理解するとはどういうことか、という問題にぶつかります。「ものには名前がある」という文に含まれる単語のうち、「ものの」「名前」などは抽象的ですし、「に」「は」「が」は機能語です。これらはどれも、「意味とは何か」という問題に真っ先に立ちはだかってきた難しい言葉です。

また、仮にどうにかしてこれらの単語の意味がＡＩに分かったとしても、必ずしも「ものには名前がある」という「文の意味」が分かったことにはなりません。つまり、単語の意味と文の意味との関係が分からなくてはなりません。

単語の意味から、文の意味を構成する

文の意味とは何かということについても、さまざまな説が唱えられています。その中に、「真理条件説」というものがあります。これは、「文の意味が分かること＝その文が本当（つまり「真」）であるための条件が分かること」というものです。意味の研究の一部はこの考え方に基づいて進められていますので、簡単にご紹介しましょう。

皆さんが、夜にカーテンを閉め切った家の中にいるところを想像してください。つまり、皆さんからは外の様子が見えません。そのとき、近所に住むお友達から「今、雪が降っているね」というメールがきました。皆さんはどう思われるでしょうか？

おそらく、たいていの人は「雪が降っている？　本当かな？」と思うでしょう。そしてカーテンを開けて、実際に雪が降っているかどうかを確認すると思います。その上で、もし雪が降っていたら「友達の言ったことは本当だった」と思うでしょうし、降っていなか

ったら「間違いだった」とか「嘘だ」とか思うでしょう。

つまり私たちは、「雪が降っているね」という文を見て、それが本当かどうか、つまり「真か偽か」を考えます。そして、真か偽かを確認するときは、「現実がどうであれば、その文が真になるか」という知識を手がかりにします。「雪が降っている」という文は、今実際に雪が降っていれば真ですし、そうでなければ「偽」です。つまり、以下のような「条件」を私たちは知っているわけです。

・「雪が降っている」という文が真であるのは、実際に雪が降っているとき、またそのときのみである。

このような、「文が真であるための条件」を、専門用語で「真理条件」と言います。哲学者のドナルド・デイヴィドソンは、「文の意味が分かるというのはすなわち、その文の真理条件が分かるということだ」と主張しました。[34] つまり「雪が降っている」という文の意味が分かるということは、右の条件を知っているということだ、という考え方です。

ここまで聞いて、「なんだか当たり前のことを言っているだけじゃないの？　たいして内容もないことを大げさに言っているだけでは？」と思う人もいらっしゃるかもしれません。確かに、ただ「文の意味が分かること＝その文の真理条件が分かること」と言うだけでは、たいしたことがないように見えます。しかし、この説にのっとった意味研究はそこで終わらず、以下のような問題を追究しています。

（1）文の真理条件と、文の中に含まれる単語の意味との関係はどうなっているのか
（2）文の真理条件は、どのようにして現実の状況と照合されるのか
（3）文と文との間に成り立つ「推論」の関係は、どう説明されるのか

（1）は、単語の意味がどのように文全体の真理条件に影響しているのかという問題です。言うまでもなく、文は単語の集まりですから、いわゆる「文の意味」は「単語の意味」から成り立っているはずです。真理条件説では、「構成性（compositionality）」という概念を打ち出し、単語の意味の組み合わせから文の真理条件を導き出すための「計算」を提案しています。その計算を理解するには専門的な知識が必要ですのでここでは説明しませんが、とにかく「真理条件説では、文の表す真理条件が、その文に含まれる単語の意味の組み合

わせによって決まる」ことだけ押さえていただければ十分です。

このこと自体はシンプルに聞こえるかもしれませんが、私たちの言語能力を説明するにあたって、非常に重要な意味を持っています。私たちは、初めて聞いた文や、かなり長い文や複雑な文でも、その意味を比較的すぐに理解することができます。この章で今まで見てきた説の中には、そのことをきちんと説明できるものはありませんでした。しかし真理条件説では、「単語の意味の組み合わせが、文の真理条件を生み出す」ということを明確な計算方法とともに打ち出しています。つまり私たちが初めて聞いた文を理解できるのは、その中に含まれる単語が何を表すか知っていて、それらを組み合わせることによって文の真理条件を計算する方法を知っているから、ということになります。もちろん私たちはそのような計算を意識的にやっているわけではなく、無意識のうちにやっている、という仮説です。

（2）についても、大ざっぱに説明しましょう。真理条件説では、現実世界を「この世にあるすべてのもの（個体）の集まり」と考えます。「太郎」や「花子」などといった名前（固有名詞）は、その中の個体を表していると考えます。そして、「学生である」とか「走っている」といった言葉はそれぞれ、「学生であるような個体の集合」「走っている個体の

「太郎は学生である」という文の真理条件を満たす現実世界の「モデル」

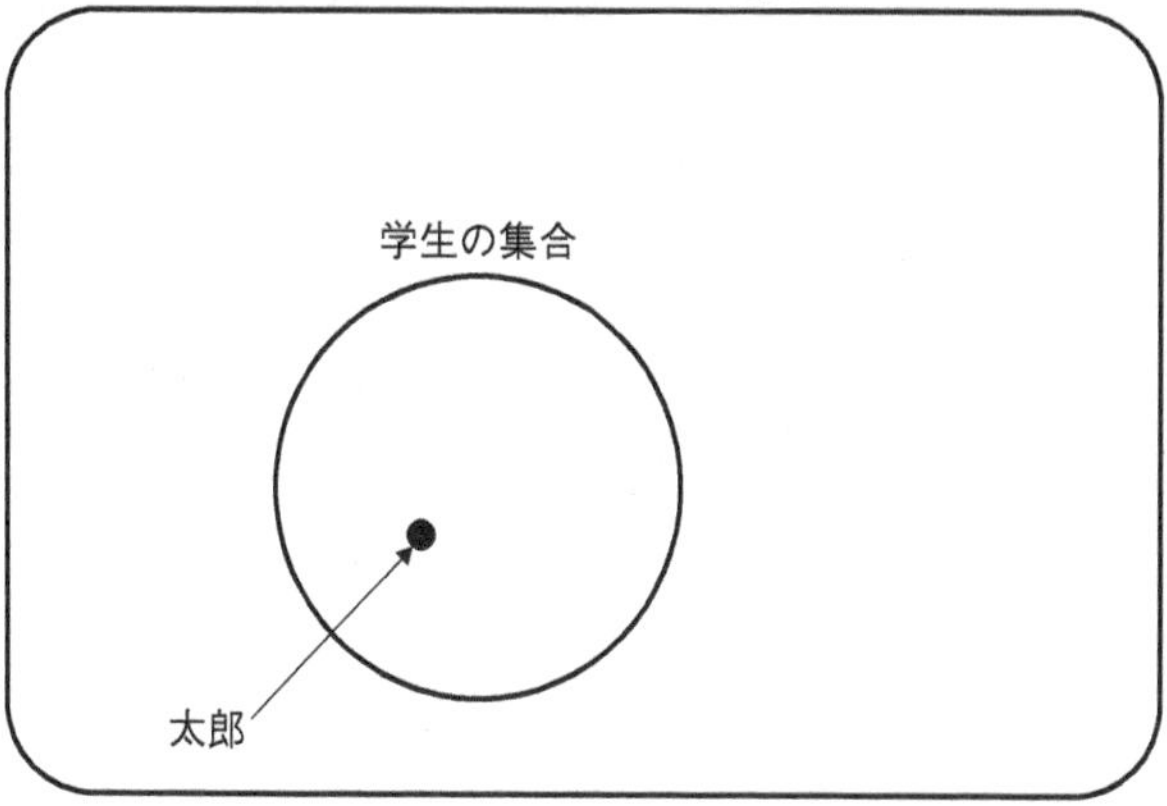

集合」を表していると考えます。その上で、「太郎は学生である」という文は、太郎という個体が「学生であるような個体の集合」のメンバーである、という真理条件を表していると考えます（この真理条件は、先に説明した「意味の計算」によって導かれます）。そうやって、真理条件——つまり、その文が真であるためには世界がどうなっていなければならないかという条件が、「世界のモデル」である「集合」の上で決まるわけです。

最後に（3）を見てみましょう。私たちが言葉の意味に関して持っている能力の中でも重要なものに、「文と文との推論関係が分かる」というものがあります。推論というのは、ざっくり言えば、「知っていることから、知らないことを論理的に導くこと」です。「文と文との推論関係が分かる」ということは、ある文から、別の文を論理的に導くために重要です。

私たちは日常的に、言葉を使った推論を行っています。たとえば、あなたがとある映画館に行き、「学生の方は全員、1000円で映画が見られます」という貼り紙を見たとしましょう（念のため、映画館の人に貼り紙のことを聞いてみて、そこに書いてあることは本当だと教えてもらったとします）。そして、あなたが実際に学生であったとします（つまり、あなたの立場から見ると、「私は学生である」という文が真であるとします）。つまりあなたは、次のAの文とBの文が真であることを知っていることになります。

A．学生は全員、1000円で映画が見られる。

B．私は学生である。

AとBが真であることから、あなたはきっと、次のCの文を導くでしょう。これは、「推論」の一例です。

図a：A文「学生は全員、1000円で映画が見られる」の真理条件。学生の集合が、1000円で映画が見られる人の集合に含まれている。

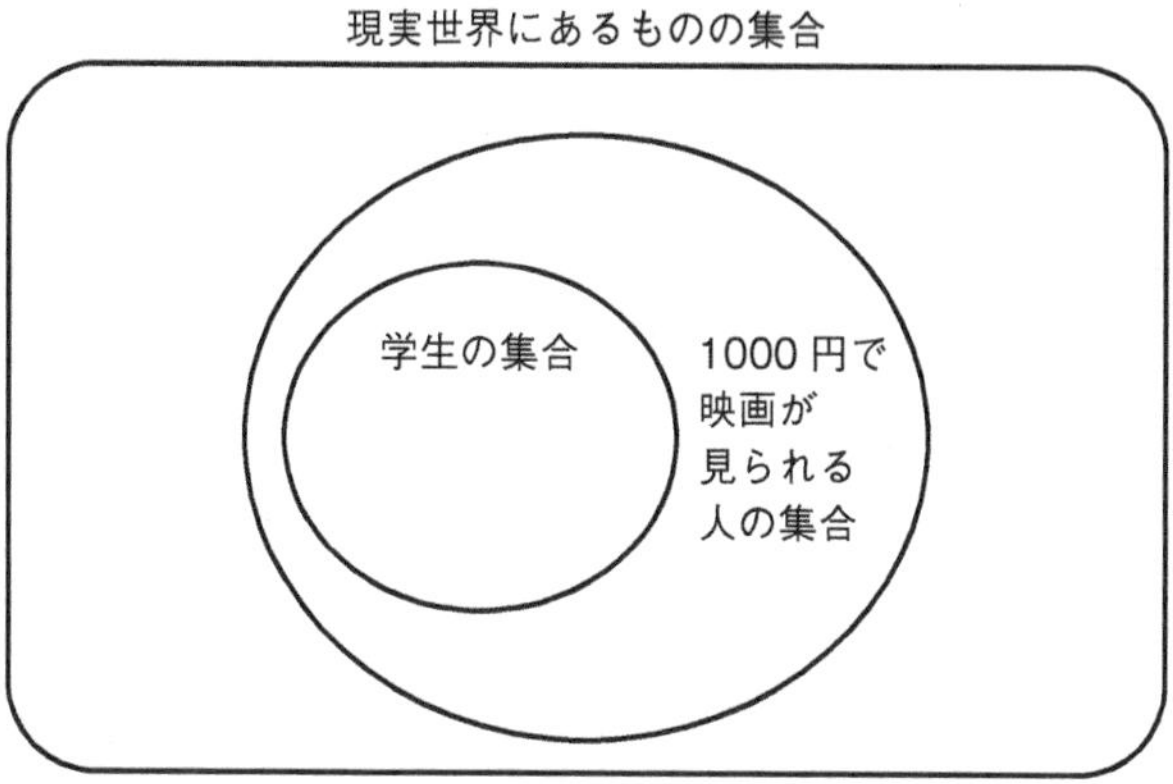

C．私は1000円で映画が見られる。

今までの説は、こういった文と文との推論関係を明確に説明することができませんでした。これに対し真理条件説では、AとBの文の真理条件からCの文の真理条件を導くことができます。その過程を仮に「現実世界のモデル」で示すと、以下のようになります。

まず、上の図aがAの「学生は全員、1000円で映画が見られる」の真理条件です。詳細は省きますが、「○○は全員××だ」という形の文の真理条件は、「○○の表す集合が、××の表す集合に

図b：B文「私は学生である」の真理条件。「私」という個体が、学生の集合のメンバーである。

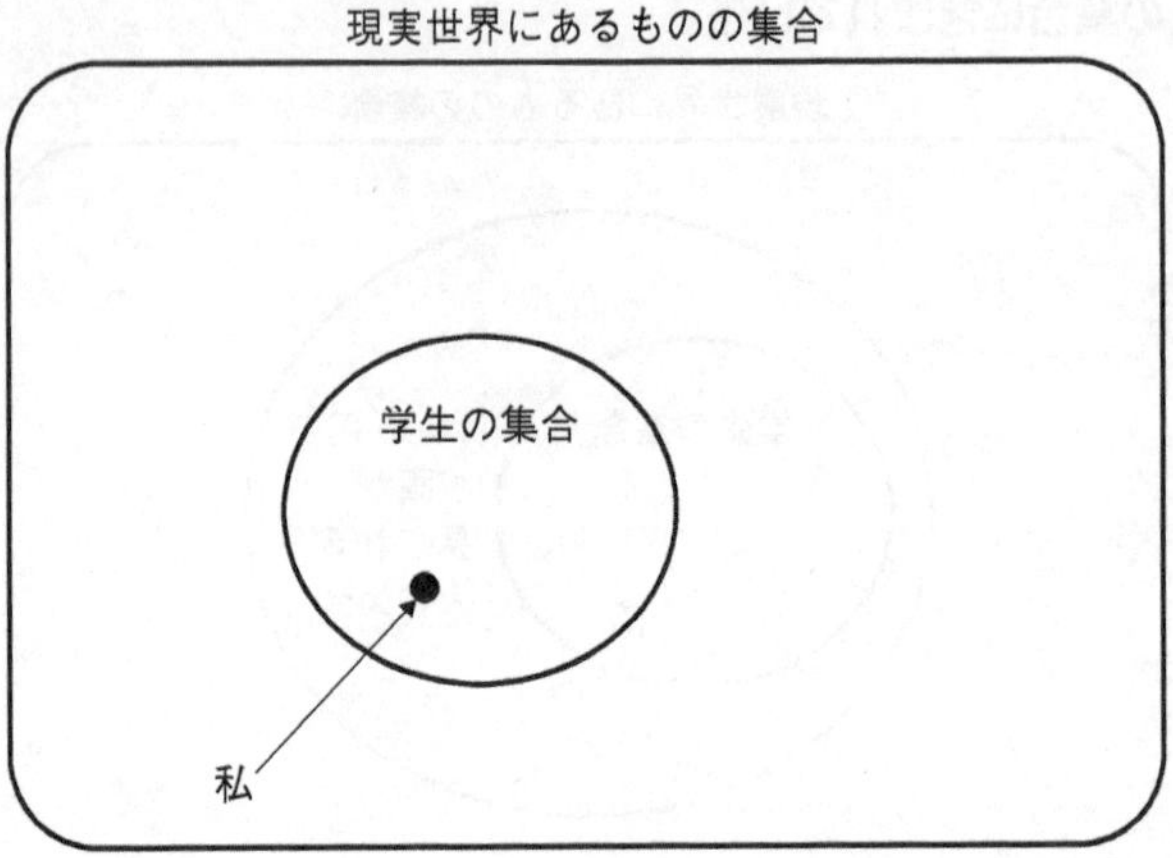

含まれている」というものになります。よって、「学生は全員、1000円で映画が見られる」の真理条件は、「学生の集合が、1000円で映画が見られる人の集合に含まれている」になります。

また、Bの「私は学生である」の真理条件は、図bに見られるように「私という個体が、学生の集合のメンバーである」となります。

ここで、図aと図bを重ね合わせてみましょう。すると、次の図cが得られます。

この中で、「私」は1000円で映画が見られる人の集合に含まれています。実はこれが、C文「私は1000円で映

図c：図aと図bを合わせたもの

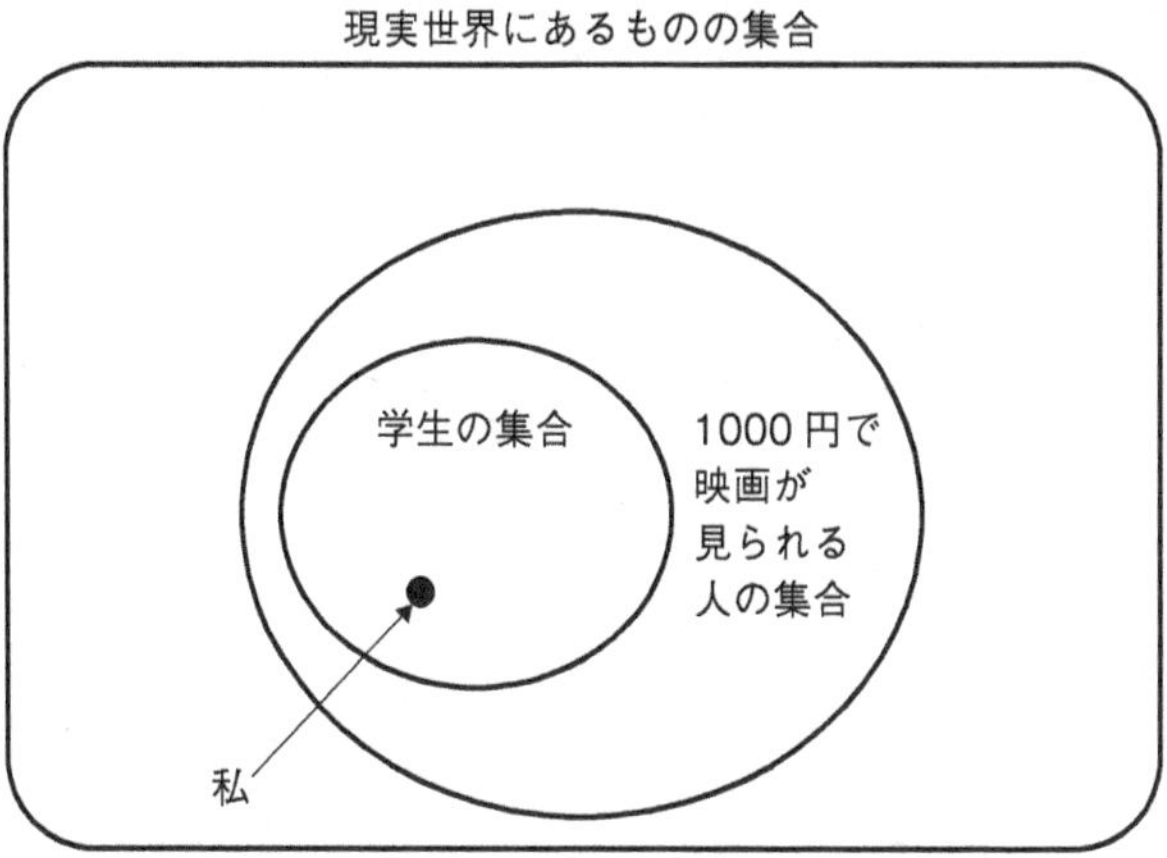

画が見られる」の真理条件です。このように、A文とB文の真理条件から、C文の真理条件が推論できることが説明されるわけです。

以上のように真理条件説は、（1）単語の意味と文との関係、（2）文と現実世界との関係、（3）文と文との推論関係といった、言葉の意味に関わる重要な側面を追究するための具体的な道具を与えてくれています。言語学の中で意味を研究する分野を「意味論」と言いますが、そのうちの一つの形式意味論は真理条件説をベースにしており、その研究には多くの研究者が関わっています。

しかし、真理条件説、つまり「文の意

味が分かること＝その文が本当（真）であるための条件が分かること」とする説を、言葉の意味の本質についての最終的な「答え」にしていいわけではありません。たとえば、先ほどの説明で「『学生である』という言葉は、学生の集合を表す」と言いましたが、ここでいう「学生の集合」がどうやって定まるかについて、真理条件説は何も言いません。その部分については、真理条件説はある意味、学生の集合が「どうにかして定まった」場合に、「学生」という言葉を含む文の真理条件がどう決まるかという、「その先の話」をしているわけです。つまり真理条件説が対象とするのは、言葉の意味の全体ではなく、その一部なのです。

「意味が分かっていること」の必要十分条件は？

以上、意味についてのさまざまな説を見てきました。「意味が分かる」ということが、なかなか捉えがたいものであることをお分かりいただけたことと思います。私たちは普段から「意味」という言葉を頻繁に使うため、あたかも分かったような気持ちになりがちですが、厳密に考えようとすると実に難しいものです。

この章で見た問題は、「意味が分かっていること」の必要十分条件が分からない、ということにまとめられます。私たちは、「もし意味が分かっているならば、〝こういうことができる〟はずだ」といったことをたくさん思いつくことができます。そして実際に「意味が分かっているならば、翻訳ができるはず」「意味が分かっているならば、自然な会話ができるはず」「意味が分かっているならば、質問に答えることができるはず」……などと考え、ＡＩにもそういうことをさせようとします。しかし、ここで言う「こういうことができる」というのは、「意味が分かっていること」の必要条件でしかありません。たとえ「こういうことができる」という部分を満たしたとしても「意味が分かっている」とは限らない、つまり「意味が分かっていなくても、こういうことができる」かもしれないのです。

現在のところ欠けているのは、「意味が分かっていること」の必要十分条件、つまり「意味が分かっている場合、かつその場合のみ、〝こうである〟」ということです。この章で見てきた説はこの側面を追究したものですが、どれも決定的な答えだと言い切ることはできません。ここがはっきりしないかぎり、人間についても機械についても、本当の意味で「意味が分かっている」と断言できないのではないでしょうか。（もちろん、「そんなことまで分からなくったって、機械が意味を理解していると考えてもいいはずだ」という立場もあり得ます。そのような立場については第五章で検討します。）

また、意味についての考え方には、この章で紹介したもの以外にもさまざまなものがあり、研究者の間でもまだ合意に至っていません。意味の問題についてくわしく知りたい方は、言語哲学の解説書[35]などをお読みください。

26 飯田隆（１９８７）『言語哲学大全Ｉ 論理と言語』、勁草書房。

27 Huth, A. G., de Heer, W. A., Griffiths, T. L., Theunissen, F. E. and Gallant, J. L.（2016）"Natural speech reveals the semantic maps that tile human cerebral cortex," *Nature*, Vol. 532, 453-458.

28 赤間啓之（２０１８）「神経意味論における分散表象と意味中枢―― fMRI メタ分析のために」、２０１８年度日本認知科学会第35回大会、s03-2.

29 Putnam, H.（1975）"The meaning of 'meaning'", In *Philosophical Papers: Volume 2*, Cambridge University Press, 215-271.

30 ゴットロープ・フレーゲ（著）、野本和幸（訳）（２０１３）「意義と意味について」、『言語哲学重要論文集』、春秋社。
31　ルートヴィヒ・ウィトゲンシュタイン（著）、藤本隆志（訳）（１９７６）『ウィトゲンシュタイン全集８　哲学探究』、大修館書店。
32　今井むつみ（２０１３）『言葉の発達の謎を解く』、ちくまプリマー新書。
33　アン・サリバン（著）、遠山啓（序）、槇恭子（訳）（１９９５）『ヘレン・ケラーはどう教育されたか―サリバン先生の記録―』、明治図書出版。
34　Davidson, D. (1967) "Truth and Meaning," *Synthese*, Vol. 17, No. 3, 304-323.
以下に日本語訳があります。

ドナルド・デイヴィドソン（著）、野本和幸、植木哲也、金子洋之、高橋要（訳）（１９９１）「真理と意味」、『真理と解釈』、勁草書房。
35　言語哲学の比較的分かりやすい入門書としては、次の本があります。この章の内容の多くも、この本を参考にしています。
W．G．ライカン（著）、荒磯敏文、川口由起子、鈴木生郎、峯島宏次（訳）（２００５）『言語哲学　入門から中級まで』、勁草書房。

第三章　文法と言語習得に関する謎

言葉について考えるとき、意味について考えるだけでは十分とは言えません。意味とセットにして考えなくてはならないのが、いわゆる文法です。

文法とは何かと聞かれて、明確に答えられる人はそれほどいないのではないでしょうか？　文法と言えば、英語の時間に習うナントカ構文とか、国語の時間に習うナントカ活用などを思い起こされる方が多いのではないかと思います。文法というのはそういった構文やら活用やら言い回しのことで、それらを覚えることが「文法の勉強」だと思っている人も少なくないでしょう。

しかし、言語学（中でも、私が専門にしてきた「理論言語学」という分野）では、文法についてやや違った見方をします。私たちは、単語を組み合わせて句や文を作り、それを口に出すことで他人とコミュニケーションを取っています。単語の数には限りがありますが、それらを組み合わせることで、実に多くのことを表現できます。私たちが言葉によって、それまでに誰も見たことのない状況や、誰も思いつかなかった考えまで表現できるのは、そういった組み合わせのおかげです。そして言語学における文法とは、「私たちが単語を組み合わせて句や文を作るときに使っている知識」のことです。第二章で見た「真理条件説」も、単語の意味から文の意味を計算するときに文法の情報を使っています。

文法の知識は文の意味の理解に不可欠であるため、文法を理解していなければ「言葉を理解している」とは言えません。しかしながら、文法も意味に負けず劣らず謎に包まれた存在で、昔から多くの研究者を悩ませています。

また、母語の文法や語彙《ごい》を私たちがどうやって習得したのかということも、言語学では大きな研究テーマとなっています。読者の皆さんの中には、「ＡＩに言葉を覚えさせるには、子供に覚えさせるのと同じようにすればいいのではないか」と考えている方もいらっしゃると思います。しかし、そもそも子供がどうやって言葉を身につけているかということ自体、まだよく分かっていません。この章では、そういった謎についても見ていきます。

無意識の文法――「かたまり」に切り分ける

文法の研究が難しい理由の一つとして、私たちの持つ文法の知識のほとんどが無意識のものである、ということがあります。とくに母語の文法は、ほとんど意識に上ることがありません。無意識であるがゆえに、「文法なんていうものはない」とか「所詮《しょせん》、人間が書き言葉のために作り出したものに過ぎない」などという意見も見られます。

しかし、私たちは言葉を理解するとき、明らかに文法の知識を使っています。そのような場面の一つが、文の中で「かたまり」を見いだすときです。文は、見た目上は「単語の並び」ですが、私たちは単語の並びをただ前から後ろに一語ずつ処理しているわけではありません。むしろ、私たちは文を聞いたり読んだりするとき、文をいくつかの単語の「かたまり」に切り分けています。さらに、それらの「かたまり」どうしがどのようにつながって「文」をなしているかを見極めています。つまり私たちの中では、文はただの単語の並びではなく、「構造を持ったもの」として認識されているのです。そんなことを言われても、いまいちピンとこない方も多いでしょう。そういう方は、次の文を見てみてください。

A. 我が社はこのたび、佐藤氏を営業部長として採用する。
B. 鈴木氏はこの春から、代官山《だいかんやま》を拠点として活動する。

A、Bの二つの文は、表面的にはよく似ています。どちらも、「〜は〜を〜として〜する」という形をしています。しかし、これらの文を読む私たちは無意識に、これら二つの文に「異なる構造」を当てはめています。つまり、A、Bの文を「かたまり」に切り分けるときの「切り分け方」が違うのです。どのように違うか、お分かりでしょうか？

違いは、A、Bの文の「〜を〜として」の部分の順番を入れ替えて、「〜として〜を」にしてみるとはっきりします。

A′. 我が社はこのたび、営業部長として佐藤氏を採用する。
B′. ＊鈴木氏はこの春から、拠点として代官山を活動する。

いかがでしょうか。Aの「佐藤氏を営業部長として」を「営業部長として佐藤氏を」に入れ替えたA′は、それなりに自然な文だと思います。その一方で、Bの「代官山を拠点として」を「拠点として代官山を」に入れ替えたB′は、かなり不自然に感じられると思います。[36] ちなみにB′の文の最初につけた「＊」というマークは、「かなり不自然だ」ということを表すものです。これは以下でも使っていきます。

A′とB′の違いは、いったい何を示しているのでしょうか。それは、A、Bの文において

「かたまり」をなす部分が異なる、ということです。具体的に言うと、Aの文の「佐藤氏を」と「営業部長として」はかたまりをなさないのに対し、Bの文の「代官山を」と「拠点として」は一つのかたまりをなすのです。以下では、かたまりを［］で示します。

Aの構造：我が社はこのたび佐藤氏を営業部長として採用する。
Bの構造：鈴木氏はこの春から［代官山を拠点として］活動する。

なぜ、このような違いがあるのでしょうか。それを考えるにあたって注目していただきたいのは、Aの「佐藤氏を」とBの「代官山を」が、いったいどの動詞の目的語か、ということです。Aの「佐藤氏を営業部長として採用する」では、「佐藤氏を」は動詞「採用する」の目的語です。他方、Bの「代官山を拠点として活動する」の方の「代官山を」は、「活動する」の目的語ではありません。「活動する」はそもそも、目的語を必要としない動詞、つまり自動詞です。

ではBの「代官山を」は何の目的語かというと、「として」の中にある「して」、つまり動詞「する」の目的語なのです。つまりこの文の「として」は、助詞「と」＋動詞「して」

（「する」の連用形「し」＋接続助詞「て」）であるわけです。ちなみにAの「佐藤氏を営業部長として」の「として」が何であるかについては諸説ありますが、おおよそ「として」全体で一つの助詞のような働きをするものと考えられています（「複合助詞」などと呼ばれる場合もあります）。

こういうふうに具体的に説明すると、非常にややこしいように感じられるかもしれません。しかし重要なのは、日本語を母語とする人々がこのような知識をすでに頭の中に持っており、AやBの文を見たときに瞬時にそれらを活用し、文の構造を見極めているということです。だからこそ、A′とB′の間に差を感じ取ることができるのです。

もう一つ、同じポイントを示す例を見てみましょう。さっきの例よりも簡単な例です。

C．この美しい街並み

D．とても美しい街並み

CとDは、どちらも「街並み」の前に二つの語が並んでいます。しかし、私たちはこれらに異なる「構造」を当てはめて理解しています。

この例については、どう異なるかがすぐに分かる人もおられるでしょうが、ここでは具体的に「違いが際立つような例」を示してみましょう。一つには、さっきの「代官山を拠点として」の例で使ったような「語順の入れ替え」によって違いを示すことができます。「街並み」の前の二つの語の語順を入れ替えると、それぞれC′、D′のようになります。

C′. 美しいこの街並み

D′. ＊美しいとても街並み

C′がそれなりに自然さを保つのに対して、D′はとても不自然になっています。このことは、Cにおいては「この美しい」がかたまりをなさないのに対し、Dにおいては「とても美しい」がかたまりをなす、という違いに起因しています。

Cの構造：この 美しい 街並み

Dの構造：［とても美しい］街並み

同じポイントを、また別の方法によっても示すことができます。C、Dの前に、「古い」という別の修飾語を並べてみましょう。具体的には、「古くて」という形にして、「この美しい」および「とても美しい」の前にくっつけてみるわけです。すると、C''、D''のようになります。

C''. ?古くて、この美しい街並み
D''. 古くて、とても美しい街並み

今度は、C''の方が少し不自然で、D''の方が自然だと思う人が多いのではないでしょうか。(「?」は、少し不自然であることを表すものです。「*」よりも弱い不自然さだと考えてください。)実は、「古い」のような「一つの単語」と並列的につなげられるものは「かたまり」でなければならない、という一般的な法則があります。D''の「とても美しい」はかたまりなので「古くて」とつなげられますが、C''の「この美しい」はかたまりではないので、「古くて」とつなげると不自然になるわけです。

このように、表面的には似た文や句であっても、私たちは文法の知識に従い、異なる

「構造」を当てはめて理解しています。その理解の仕方はほとんど無意識なので、先のように語順を入れ替えたり、他の語をくっつけたりする「テスト」をやってみなければ、なかなか意識に上ってきません。

無意識の文法——意味解釈への影響

文法の知識が意味解釈に影響することを示す例も見ていきましょう。日本語の代名詞的な表現の中には、「彼（／彼女）」や「自分」があります。これらは明確に意味が違いますが、「同じ文の中に、同じものを指す表現がある場合」に限って見てみると、似たような解釈を生み出します。次の例を見てください。

A. 花子$_1$は、彼女$_1$が生まれ育った土地を誇りに思っている。

B. 花子$_1$は、自分$_1$が生まれ育った土地を誇りに思っている。

C. 太郎$_1$は彼$_1$の恋人を親に紹介した。

D．太郎[1]は自分[1]の恋人を親に紹介した。

Aの「彼女」と、Bの「自分」は、どちらも同じ文中に現れている「花子」を指すと考えてください。同じものを指すことを明確に示すために、小さく「1」という番号を振っています。Cの例では「彼」が同じ文中の「太郎」を指し、Dの例では「自分」が「太郎」を指しています。このように考えると、AとB、CとDは、それぞれ同じ意味を表しているように見えます。つまりこれらの例に限っては、「彼/彼女」と「自分」との間に違いはなさそうです。

しかし、次の例を見てみてください。

E．太郎は花子に彼女の電話番号を尋ねた。
F．太郎は花子に自分の電話番号を尋ねた。

G．花子は太郎を彼の家まで送った。
H．花子は太郎を自分の家まで送った。

EとF、GとHに見られる違いについて、気づいていただけたでしょうか？　まずEは、「太郎が花子に花子の電話番号を尋ねた」と解釈することができます。つまり「彼女」が「花子」を指しているという解釈が可能です。これに対してFでは、同じ解釈が難しくなります。多くの人にとって、Fを読んで真っ先に頭に浮かぶ場面は、太郎が「俺の電話番号、何だっけ？」と花子に尋ねているところでしょう。つまり、「太郎が花子に太郎の電話番号を尋ねた」という解釈です。

GとHについても、同じような違いが見られます。Gは「花子が太郎を太郎の家まで送った」と解釈できるのに対し、Hはそれができず、どちらかというと「花子が太郎を花子の家まで送った」という、常識的に考えて意味不明な状況が先に浮かぶはずです。

A～Hまでの観察から言えるのは、どうやら「自分」という言葉は、同じ文中の主語（つまり「～は」）を指すことはできるけれど、その他の「～に」「～を」などといった要素を指すことはできなそうだ、ということです。他方、「彼」や「彼女」にはそのような制限が見られません。同じ代名詞的な表現で、かつ似たような環境に現れる場合でも、このような違いがあるわけです。この違いは、「彼／彼女」と「自分」との、文法的な性質の違いに由来します。そして私たちは、いつどうやって覚えたのか分かりませんが、それを知っていることになります。

もう一つ、似たような言葉どうしの文法的な違いが意味解釈の違いを引き起こす例を見てみましょう。「着せる」と「着させる」という言葉の違いです。普段の生活では、これら二つの意味の違いを意識することはあまりないでしょう。次に挙げるＩとＪではどちらも、晴れ着を身につけたのは子供で、そのような状況を引き起こしたのは花子です。

Ｉ．花子は子供に晴れ着を着せた。

Ｊ．花子は子供に晴れ着を着させた。

しかし、「着せる」と「着させる」は文法的な性質が異なり、それが意味の違いとなって現れることがあります。次のＫとＬを見てください。

Ｋ．花子は子供に晴れ着を一人で着せた。

L．花子は子供に晴れ着を一人で着させた。

KとLの間の意味の違いはお分かりでしょうか？　実は、Kにはない解釈がLにはあります。Kの方は、「花子が一人で（つまり、他人の力を借りずに）子供に晴れ着を着せた」という解釈しかありません。しかし、Lはこの解釈に加えて、「子供が一人で晴れ着を着た」という解釈もあります。

K．花子は子供に晴れ着を一人で着せた。
解釈1：花子一人で子供に晴れ着を着せた。

L．花子は子供に晴れ着を一人で着させた。
解釈1：花子一人で子供に晴れ着を着せた。
解釈2：子供が一人で晴れ着を着た。花子は、子供がそうするように仕向けた（あるいは、指図した）。

つまり、Kでは「一人で」という言葉が花子の行動を修飾しているという解釈（＝解釈1）しかできないのに対し、Lではその解釈に加え、「一人で」が子供の行動を修飾している解釈（＝解釈2）ができるわけです。

いったい、「着せる」と「着させる」の違いは何なのでしょうか？　実は、先ほど観察した「自分」という言葉の性質を使うと、面白い観察ができます。次の例をご覧ください。

M. 花子は子供に自分の着物を着せた。
N. 花子は子供に自分の着物を着させた。

Mの方は、「自分」が「花子」を指す解釈、つまり子供が花子の着物を着たという解釈はできますが、「自分」が「子供」を指す解釈（子供が子供の着物を着たという解釈）は非常に困難です。これに対しNの方は、「自分」が「花子」を指す解釈も、「自分」が「子供」を指す解釈も問題なくできます。

M. 花子は子供に自分の着物を着せた。

解釈1：花子は子供に花子の着物を着せた。

N. 花子は子供に自分の着物を着させた。
解釈1：花子は子供に花子の着物を着せた。
解釈2：花子は子供に子供の着物を着せた。

先ほど、A～Hの観察で、「自分」という言葉は同じ文中の主語を指すことはできるけれど、同じ文中のその他の要素を指すことはできないようだということを見ました。しかしNの解釈では、「自分」は「子供に」という、一見主語ではない要素を指しています。このことから、「誰々が誰々に何々を着させる」という文では、「誰々に」に何らかの「主語っぽさ」があるのではないかという説が提唱されています。つまり「着させる」という「着る＋させる（使役の助動詞）」という表現を含む文が、そのような文法的な性質を持っているのではないかという仮説です。

このように単語の文法的な性質は、それを含む文の意味解釈に影響を与えます。しかもMとNの違いは、「自分」という語と、「着せる」「着させる」という語の文法的な性質が相互に影響し合って、異なる意味解釈を生み出している例です。このことは、私たちの頭の中にある文法の知識が、個別の知識が雑多に積み重なったものではなく、互いに影響し合って「システム」をなしていることを示唆しています。

無意識の文法——不自然な文の識別

また私たちは、「日本語の文として自然な単語の並び」と「そうでない並び」を区別するときにも、文法の知識を使っています。実のところ、私たちが文法を意識する数少ない場面は、たいてい「自分の母語として不自然な文や句」を耳にしたときです。

先ほどすでに、私たちは「拠点として代官山を活動する」とか、「美しいとても街並み」などといった「不自然な文や句」を見てきました。これら以外にも、私たちが「日本語として不自然だ」と感じる文や句のパターンはたくさんあります。

たとえば語順は、文の自然さを大きく左右する要因の一つです。日本語の文では、「何が　何を　どうした」のように、出来事や行為に関わる人やものが「何が」「何を」のような形で先に述べられ、最後に出来事や行為を表す「どうした」の部分が来ます。つまり日本語の文では「主語─目的語─述語」のような語順が一般的です。

これに対し、英語の文では「主語─述語─目的語」といった語順になります。しかも英語には、日本語で主語に付く「が」、目的語に付く「を」のようなものがありません。日本語で行き先を表す言葉に付く「に」や、出発点を表す「から」に対応するものとしては、to や from などの前置詞があります。ただし、日本語の「に」や「から」が「北海道に」「東京から」のように名詞の後に来るのに対し、to や from は「to Hokkaido」「from Tokyo」のように名詞の前に来ます。

こういった語順の知識は、ある単語の列が「その言語の文として自然な形をしているか」を判断する手がかりになります。たとえば、日本語の単語を英語の語順に当てはめた次のような単語の並びは、日本語を母語とする多くの人にとって「日本語の文ではない」と感じられるでしょう。

太郎 愛する 花子。(比較:太郎が花子を愛する)
私 来た から 東京 に 北海道。(比較:私は東京から北海道に来た)

また、語順だけでなく、語と語のつながり方や文中の主語や目的語の表し方にも、言語ごとに異なる決まりがあり、その決まりを守っていない文を聞くと私たちは「あれっ、なんか変だな」と感じます。たとえば、日本語を外国語として勉強されている方が、「これは大きいの家ですね」とか「私は明日、彼を会います」のようにおっしゃることがありますが、日本語を母語とする人はそういった文を聞くと「『大きいの家』ではなくて、『大きい家』と言えばいいですよ」とか「『彼を会います』ではなくて『彼に』ですよ」と直してあげたくなるでしょう。このような判断を行えるのも、私たちの頭の中で母語の文法の知識が働いているからです。

言葉は誰かに教わった？

単語や文法を含めた母語の知識を得るにあたって、私たちが非常に多くのことを「覚えた」のは間違いありません。しかし皆さんは、自分がどうやって母語を覚えたのか、ほとんど記憶がないのではないでしょうか？　私自身もほとんど覚えていません。

私たちがどうやって母語の知識を身につけるのかについては、いくつかの説があります。

おそらく誰でも真っ先に思い浮かぶのは、「大人が教える」というものでしょう。しかし、この説では説明しきれないことがたくさんあります。

大人が子供に何かを指さして「これは○○だよ」と教えることがあるのは事実です。しかし、大人がそんなふうに明示的に教えることしか覚えられないとすると、子供が言葉を覚えるスピードはかなりゆっくりになるはずです。また、きちんと教えてくれる大人がそばにいるかいないかで、かなりの個人差が出てくると予想されます。しかしながら、子供の言語習得の研究から、ほとんどの子供は実に速いペースで多くの単語を覚えていくことが明らかになっています。

一般に、子供が一歳半を過ぎた頃から覚えていく語彙が急速に増えるという現象が知られています。この現象は「語彙爆発」と呼ばれています。「子供は大人に教わったことしか覚えられない」という立場でこの現象を説明するには、ほとんどの大人が（なぜか）この時期の子供に集中的に「これは○○だよ」と教える、と考えなくてはなりません。しかし、それは現実的ではないように思えます。

また、文法の知識についても、大人が明示的に教えていないのに子供がいつのまにかマスターするという現象が見られます。たとえば、先ほど取り上げた「語順に関する知識」

がそうです。私たちは外国語を習うとき、かなり早い段階で「この言語の語順はこうだ」ということを教わります。しかし、自分が母語を習得しているときにはこんなことは教わらないでしょうし、たとえ大人が子供にそういうことを教えたとしても、そもそも「語順」という概念が分かるかどうか疑問です。にもかかわらず、私たちはいつのまにか、日本語の語順を完全にマスターしています。

言語習得の研究によれば、英語を母語とする子供は二語以上をつなげて話す「二語期」を迎えた時点で、語順を守り、ほとんど間違いをしないそうです。[37] たとえば二語期の子供はクッキーが欲しいときに Want cookie. のように「述語—目的語」の語順で話しますが、Cookie want. のように「目的語—述語」とは言わないそうです。不思議なことですが、英語で述語が目的語より先に来るということが、この早い時点での子供の言葉に反映されているようです。

また、文法の知識に関して言えば、大人ですらもよく自覚できていない知識がたくさんあり、子供に「すべてを明示的に伝える」というのは実質的に不可能です。たとえば、文法の知識の中には、「と」でつなげるものとそうでないものについての知識があります。ここで言う「と」は、「太郎と花子」「おじいさんとおばあさん」「料理人とレストランのオーナー」などといった表現に使われる助詞の「と」のことです。「と」の使い方には、実はたいへん込み入った知識が関わっています。次の会話例を見てみてください。

Aさん：「あなたの恋人はどんな人ですか？」
Bさん：「私の恋人は料理人とレストランのオーナーです」

このBさんの発言に違和感を覚える人は多いのではないでしょうか？ 単に「何を言っているのか分からない」という人もいれば、「えっ？ Bさんには恋人が二人いるの？」と思う人もいると思います。

実は、このAさんとBさんの会話例は、英語の日本語訳の間違いから拾ってきたものです。ちなみにBさんの発言の原文は、「My boyfriend is a cook and restaurant owner.」です。これは適切な日本語に訳すと、「私の恋人は料理人兼レストランのオーナーです」となります。つまりBさんの恋人か、「私の恋人は料理人でレストランのオーナーです」となります。つまりBさんの恋人は、料理人であると同時に、レストランのオーナーでもあるわけです。英語ではこのような状況を「and」を使って表すことができます。しかし日本語では、「料理人」と「レストランのオーナー」を「と」でつなぐと「料理人兼レストランのオーナー」という解釈が非常にしづらくなり、「料理人」と「レストランのオーナー」があたかも別の人であるかのような解釈が強く出てきます。

「私の恋人は料理人とレストランのオーナーです」という文の不自然さは、私たちが無意識に「と」でつなげるものとそうでないものを区別していることを示唆しています。しかし、どういうときに「と」でつなげて、どういうときにつなげないのかを明確にするのは、なかなか難しいことです。皆さんの中には、「〇〇は料理人とレストランのオーナーです」という「文の形」がおかしいのだろうと思う方もいらっしゃるかもしれませんが、たとえば次のような文は何の問題もありません。

私が将来就きたい職業は、料理人と|レストランのオーナーです。

また別の仮説として、「役割を表す言葉は『と』でつなげられないのではないか」というのもあるかもしれません。しかし次のような文では、「料理人」と「レストランのオーナー」がともに役割を表していますが、「と」でつなげられても問題ありません。

私の恋人は、料理人とレストランのオーナーを兼任しています。

つまり「私の恋人は料理人とレストランのオーナーです」がなぜ不自然なのかを説明するのは、簡単なことではないのです。にもかかわらず、私たちはこのような込み入った知識を習得しています。実のところ、私たちの文法の知識を深掘りしていくと、「私って、こんな細かいことまで識別していたの？」と驚くような事例にたくさん出会います。私たち自身がそのような知識を自覚できていないのですから、子供が言葉に関する知識のすべてを「大人から教わった」と考えるのには無理があるでしょう。

褒められたり注意されたりして覚える？

また中には、「大人は子供に言葉に関することを全部教えることはできないかもしれないけれど、子供が正しい文を話せば褒めるだろうし、逆におかしな文を言ったら注意するはずだ。そういった大人の反応を見て、子供は言葉を覚えていくのではないか？」というご意見もあるかもしれません。

確かに、私たちは何かを学ぶとき、とりあえずやってみて、周囲の人に褒められたり注意されたりすることでやり方を修正することが少なくありません。行動の結果が良いか悪いかといった「アウトプットの善し悪し」も、今のままでいいか、それとも修正すべきかを判断する手がかりになるでしょう。こういった試行錯誤による学びのプロセスが、私たちの言葉の習得に関わっていると考えるのは自然なことです。そして実際に、そのような説も提唱されています。

「褒められたり注意されたりして言葉を覚える」という説で最も有名なのは、心理学者のバラス・フレデリック・スキナーが唱えた説です[38]。ただ、スキナーの説を紹介する前に「学習」に関する考え方の歴史を見ておく必要がありますので、少々お付き合いください。

昔から多くの人々は、生まれたばかりの人間を「何も知らない、まっさらな状態」であると考えてきました。つまり人間は白紙の状態で生まれてきて、生まれた後（つまり後天的）にさまざまなことを経験し、「まるで白紙に字が書き込まれていくかのように」知識や能力を獲得していくと考えたわけです。このような考え方は、古くは古代ギリシャの哲学に起源を持ちます。

では、人間はどうやって物事を学習するのでしょうか？　それについて重要な実験をし、強力な仮説を打ち立てたのが行動主義心理学の研究です。行動主義心理学は、研究の対象を「行動」とする心理学の一分野です。行動主義心理学における「行動」とは、厳密には「こういう刺激があったら、こう反応する」という「刺激と反応」のペアです。

行動主義心理学の研究によって、人間や動物が「刺激と反応」の繰り返しから、後天的に多くのことを学ぶことが示されてきました。よく知られている「条件反射」は、行動主義心理学によって発見された「後天的に学習される行動」の例です。イワン・パブロフが行った「パブロフの犬」の実験については、聞いたことがある人も多いでしょう。これは、犬に「ある音を聞かせながらエサを食べさせる」ということを繰り返すと、そのうち犬はその音を聞くだけで唾液《だえき》を出すようになる、というものです。つまり、「エサを食べる＋音を聞く（刺激）→よだれが出る（反応）」という刺激と反応を繰り返し経験させているうちに、エサを食べなくても「音を聞く（刺激）→よだれが出る（反応）」という行動が「学習」されるわけです。私たちも、梅干しを見ただけでよだれが出ることがありますが、これも同じタイプの「学習」によるものです。

こういった「繰り返し経験することによる学習」をさらにつきつめたのがスキナーです。スキナーは、刺激と反応に加えて「ごほうび（報酬）」や「罰」といった要素のある学習について研究しました。

スキナーの行った有名な実験に、「スキナー箱」と呼ばれるものがあります。これは、お腹を空《す》かせたネズミを箱に入れ、ブザーが鳴ったときにネズミがレバーを押すとエサが出てくるようにするものです。箱の中のネズミはあちこち動き回って、そのうち偶然に「ブザーが鳴っているときにレバーを押す」ということをします。すると、エサが出てきます。これが繰り返し起こると、ネズミは頻繁に「ブザーの音が鳴っているときにレバーを押す」行動をとるようになります。つまり、ブザーが鳴っているときにレバーを押した結果「ごほうび（エサ）」がもらえたことで、ネズミがその行動を学習したわけです。

スキナーはこのような「行動の結果ごほうびがもらえると、その行動の頻度が高くなる」というタイプの学習の他に、「罰を与えられると、それをしないようになる」などといった学習があることも実験で示しました。

スキナーは、人間の言語習得もこういった学習によって説明できると考えました。たとえば、喉《のど》が渇いた人が「水をください」と言うと、水がもらえることがあります。スキナーは、水がもらえたことが「ごほうび」となり、その後その人が喉が渇いたときに「水をください」と言う頻度が高まる、と考えたのです。また、人が言葉の発音の仕方を学ぶときには、お手本となる人の発音を真似し、うまくできたときに褒められることによって「発音を真似する」という行為をますます頻繁に行うようになるのだと考えました。

スキナーの説は、私たちの「学習」や「訓練」といったイメージに非常にしっくりくるものがあります。実際、動物をしつけたり芸を仕込んだりするときには、ごほうびや罰を与えることによって特定の行動を促したり禁止したりすることができます。私たち自身も、何かをして褒められたり、いい気分になったりするとまたそれをしたくなりますし、逆に罰を与えられたり嫌な気分になったりすると、それをしなくなったり、それを防ぐための行動をとるようになったりします。

しかし、スキナーの説には問題もあります。スキナー説への批判として有名なのが、言語学者ノーム・チョムスキーによる反論です。[39] チョムスキーの論点は、要約すれば、「もし言語がスキナーの言うような仕方で学習されているのであれば、なぜ人間がそれまで聞いたことのないような文を理解できるのかが説明できない」というものです。

本書の中でもすでに述べてきたように、私たちはそれまでの人生で聞いたことのない文を理解できますし、歴史上それまで誰も口にしたことのないような文を（意味が分かった上で）口にすることができます。つまり、私たちが扱える文の数には限りがありません。スキナーの提唱する「刺激と反応と報酬（あるいは罰）の繰り返しによって、特定の文を口にする頻度が変化する」という仕組みだけでは、私たちが無限の文を扱えることが説明できません。[40]

また、すでに見たように、私たちは文法的に不自然な文を識別する能力を持っています。スキナーの考えにのっとると、「私たちが不自然な文を識別できるのは、子供の頃に不自然な文を口にして、大人に繰り返し注意されたり叱られたりしたからだ」ということになります。しかし、スキナー箱のネズミのような仕方で「文法的に不自然な文を言わないようにする」ことを学習するには、子供は一つの間違いに対して、かなりの回数の注意（あるいは罰）を受けなくてはならないことになります。また、文法的に自然な文のパターンが無限にあるのと同様に、不自然な文のパターンも無限にあります。大人がいくら頑張って子供の文法の間違いを注意してもきりがありません。

実のところ、大人は子供の言葉の間違いをあまり直さないことが分かっています。中には、言ったことの「内容」については直すが、「形式」についてはほとんど直さないという指摘もあります。たとえば英語を母語とする子供が I goed there yesterday.（ぼくは昨日あそこへ行った）のような間違いをしても、大人は「あそこへ行ったのは先週でしょ」のように内容を直すのに、go の過去形が間違っていることは直さないなどといった事例があります。[41] つまり、母語を習得中の子供に対しては、文法的に不自然な文が必ずしも「不自然な文」として提示されないわけです。そういった状況にもかかわらず、私たちが不自然な文を識別する能力を身につけられることは、言語習得における大きな謎になっています。

さらに言語習得の研究により、子供は大人が注意するかどうかに関係なく、自分で自分の間違いを修正することが分かっています。つまり、間違いを大人が懸命に正そうとしなくても、子供は自ら知識を正しい方向へと更新していくのです。この点については、次の節でくわしく見ます。

限られた事例から法則性を発見する？

「大人が直接教えたり間違いを注意したりしなくても、大人の真似をしさえすれば単語や文法を覚えられるのではないか」と考える人も多いと思います。「語順ぐらい、大人が話しているのをちょっと聞けばマスターできるでしょ」と言う人もいらっしゃるかもしれません。確かに、真似をするというのは、私たちがさまざまなことを学ぶ上で重要なことです。しかし単に真似をするだけでは、自分の耳に入ってきた言葉そのものしか覚えられないでしょう。それでは、人間の真似をするオウムや九官鳥と変わりません。

ここでカギとなるのは、「法則性」に関する知識です。私たちは明らかに、自分たちが見聞きした個々の単語や文をそのまま覚えるだけではなく、そこから法則性を見いだし、初めて聞く言葉を理解するときにそれを使っています。子供がそういった法則性を身につけるには、自分の耳に入ってくる限られた数の「大人の言葉の事例」から、その背後にある「より多くの事例に当てはまる法則性」を見いだす必要があります。このように、限られた事例から法則性を導き出すことを、専門用語では「一般化」（あるいは「汎化《はんか》」）と言います。

私たちは、普段の生活でも頻繁に一般化を行っています。たとえば、ある作家の書いた本を何冊か読んで「面白い」と思ったら、「この人の書くものはどれも面白い」という法則性を導き出して、次の本が出るのを楽しみに待ったりします。どこかのレストランで食べた何品かの料理が美味《おい》しくなかったら、「あのレストランで出すものはまずい」という法則性を導き出し、次からは行かないようにしたりします。こういったものも、限られた事例からの一般化の例です。

こんなふうに書くと、「なあんだ、一般化って、たいしたことなさそうだな」と思う方もいらっしゃるかもしれません。しかし、一般化を適切に行い、しかも「正しい結果」に至るのはかなりたいへんなことです。

実は、私たちはすでに「一般化の難しさ」について、ある程度見てきています。お気づきの方も多いと思いますが、第一章で説明した機械学習はまさに、機械に一般化をさせるための技術です。機械学習は、限られた数のデータを機械に与え、そのデータを扱うための関数を機械に発見させる技術でした。これはつまり、限られた数の事例から、より多くの事例に当てはまる法則性を機械に見いださせる方法です。

機械学習で開発されるAIについて、第一章ではさまざまな問題を指摘しました。その中に「限られた事例の中のどこに目をつけるか」という問題があったのを覚えていらっしゃるでしょうか？　そこでは、画像に写っている物体を高い精度で認識するAIが、実は「認識の対象である物体そのもの」ではなく「背景」に目をつけて判断していた事例などを挙げました。

こういった「どこに目をつけて一般化するか」という問題は、実は人間の子供による母語の習得の際にも起こっています。しかし、人間の子供は多くの場合、この問題に非常にうまく対処しています。以下に例を挙げてみましょう。

語彙爆発期の子供（一歳半〜）は、新しい単語をたった一度聞いただけでおおよそ正しく使えるようになることが知られています。この特徴は、「即時マッピング」と呼ばれています。[42]たとえば、大人が子供に一匹の犬を指さして「あれは犬だよ」と言ったら、子供はすぐに「犬」という言葉を正しく使えるようになります。

こういったことは一見するとたいして不思議ではないように思われるかもしれませんが、実はここにも「一般化」が関わっています。しかも「どこに目をつけて一般化するか」という観点では、子供はかなり難しい一般化をしています。なぜかというと、「犬」という言葉がいったい何を指すかということについて、さまざまな可能性があるからです。「犬」という単語が実際に表すのは、もちろん「犬という動物一般」です。しかし、大人が一匹の犬を指さして「これは犬だよ」と一度言うだけで、子供がそのことを理解するとは限りません。子供はもしかすると、「犬」はこの動物だけにつけられた名前（つまり固有名詞）だ、と思うかもしれません。つまり「ポチ」などといった名前と同じようなものだと思う可能性があります。

これ以外にも、子供が「犬」を「この動物の体の一部だ」と理解する可能性もあります。つまり犬の頭の部分や、鼻や耳、しっぽなどを「犬」だと思うかもしれません。あるいはその犬の「体の色」や「毛の模様」のことだと思うかもしれませんし、毛がふわふわしているという「質感」のことだと理解する可能性もあります。さらに言えば、こっちを見ているという「状態」、可愛さや小ささといった「性質」など、「『犬』という言葉が表しているかもしれないもの」の選択肢はいくらでも膨らみます。

つまり、「大人がこの（目の前の）生き物を指さして『これは犬だよ』と言った」という限られた手がかりから、「『犬』という言葉は、この生き物に形が似た生き物全般を表す」という法則性を導くには、これ以外のさまざまな選択肢――「『犬』という言葉は、この一匹の生き物だけを表す名前である」とか、「『犬』という言葉は、この生き物の頭の部分を表す言葉である」「『犬』という言葉は、この生き物の色を表す言葉である」……などといった、数多くの「可能な一般化」を捨てなくてはならないわけです。

もし子供がこういった「可能な一般化」を一つ一つ検証した上で正しいものを選ぼうと

していたら、一つの言葉を覚えるのに相当な時間がかかるはずです。しかしながら、語彙爆発期の子供はこういった選択肢の膨大さにほとんど煩わされず、驚異的なスピードで言葉を覚えていきます。それができる理由の一つに、子供の言語習得にさまざまなバイアス、つまり「思い込み」が働いていることが挙げられます。

たとえば、子供は初めて見る物体の名前を教わったとき、教わった名前を「その物体のみを指す名前（固有名詞）」ではなく、「その物体と形が似たもの全般を指す普通名詞」だと思い込むことが知られています。つまり、子供が初めて見る動物について「これは犬だよ」と教わった場合、その子は「犬」という言葉がそこにいる特定の動物だけでなく、他の似たような動物すべてにも当てはまる言葉だと思い込むのです。[43] このようなバイアスは「事物カテゴリーバイアス」と呼ばれ、子供が「犬」「コップ」「パン」などといった普通名詞を覚えるときに正しく働きます。

また、このときにどこに目をつけて「似ている」とするかについても、形状や材質、色などといったさまざまな選択肢が考えられますが、子供は「形の類似」に目をつけることが知られています。[44] このバイアスは「形状類似バイアス」と呼ばれています。

また別のバイアスとして、子供が未知のものについて示された名前を、物体の一部や材質などではなく、物体の全体についての呼び名だと考えるというものがあります。これは「事物全体バイアス」と言われています。

さらに、「相互排他性バイアス」と呼ばれているバイアスもあります。これは、子供が「一つの物体には一つの呼び名しかないと思い込む」というものです。年少の子供は、すでに呼び名を知っているものに対して新しい呼び名を教わると、それを「同じものを表す言葉（つまり同義語）だ」とは思わず、何か別の意味を持つのだろうと考える傾向があるそうです。その「別の意味」としては、その物体の一部や性質、あるいは上位語（「犬」に対しての「動物」、「ビル」「家」に対しての「建物」など）などが候補に挙がるようです。すでにカテゴリーの呼び名を知っているものに対して新しい呼び名が提示された場合は、それを固有名詞だと思い込むという実験結果も報告されています。[45]

こういったバイアスの存在は、子供の「目のつけどころ」があらかじめ決まっていることを示唆します。つまり子供は、限られた事例から法則性を導く際に「どこに目をつけて一般化したら良いか」で迷うことがないので、言葉を素早く学ぶことができるわけです。

しかしながら、皆さんはすでにお気づきかと思いますが、先に紹介した各種のバイアスは間違いも引き起こします。ここに、「一般化」に関するもう一つの難しさ——つまり、「一般化が間違っていたときに、どうやって間違いに気づいて、どう修正するか」という問題があります。

たとえば、事物カテゴリーバイアスは、「ポチ」「山田さん」などといった固有名詞を覚えるときには間違いを引き起こします。犬を知らない子供に一匹の犬を指さして見せ、「あれはポチよ」と教えると、子供はそれを「その特定の犬につけられた名前」と思わず、その犬に似た動物全般（つまり犬全般）の呼び方だと思ってしまいます。

相互排他性バイアスも、間違いにつながることがあります。言語の中には「台所」と「キッチン」、「さじ」と「スプーン」、「牛乳」と「ミルク」など、数多くの同義語が存在します。「一つの物体には一つの呼び名しかないはずだ」という思い込みに従っていると、同義語を習得できないことになってしまいます。

しかし、子供は成長するにつれて、自然とこういう間違いはしなくなります。言語習得の研究によれば、子供が年長になるにつれて、文脈やその他の知識を駆使して自ら「バイアス」を修正するそうなのです。

針生悦子《はりゅうえつこ》による研究[46]では、子供自身が「一つの物体には一つの呼び名しかない」という相互排他性バイアスを修正する過程を、次のような実験によって調べています。実験では、子供に対して人形と二つの物体を見せます。その二つの物体の片方は、子供がすでに呼び名を知っているもので、もう片方は子供が初めて見るものです。たとえば、片方は子供がすでに呼び名を知っている「りんご」、もう片方は子供が初めて見る「リップミラー」のようなペアになっています。

このような状況で、子供に対し、二つの物体のうちのどちらかを人形に渡すよう指示します。たとえば子供に「りんご」と「リップミラー」を見せた上で、「お人形はお腹が空いているから、ヘクをとってあげて」という指示を出します。ここでいう「ヘク」は、子供にとっては知らない言葉です。この実験では、子供がこの「ヘク」を、すでに知っているりんごの別名だと解釈するか、初めて見るリップミラーを表す言葉だと解釈するかを見るわけです。

子供が「二つの物体には一つの呼び名しかない」というバイアスに従うならば、「ヘク」はすでに呼び名を知っているりんごではなく、呼び名を知らないリップミラーの方を指すと解釈すると予想されます。しかし、子供に対する指示では、「お人形はお腹が空いている」のように、「ヘク」が食べ物であることが示唆されています。つまり子供がこういった「文脈」を優先するなら、「ヘク」をりんごのことだと考えると予想されます。

針生によれば、保育園の年少児では、「ヘク」のような知らない言葉を「初めて見るもの」（リップミラー）と結びつける傾向があったとのことです。これは、「一つの物体には一つの呼び名しかない」というバイアスを、文脈よりも優先した結果だと見なすことができます。しかし年長児になると逆に、「ヘク」を既知のもの（りんご）に結びつける傾向が見られたそうです。つまり年長児では、文脈による手がかりがある場合は、「一つの物体には一つの呼び名しかない」というバイアスよりもそちらを優先するのです。針生はこういった年少児と年長児の違いについて、単にバイアスと文脈のどちらを優先するかという違いではなく、「言葉と事物は一対一に結びついている」ということから「言葉と事物の間は必ずしも一対一に対応しない」という方向への「言語観の変化」が関わっているのではないか、と述べています。

また、針生の別の研究[47]では、日本語の呼び名と外国語の呼び名（「にんじん」と「キャロット」、「石けん」と「ソープ」など）の関係について同様の実験を行っており、ここでも年少児は「一対一」のバイアスを優先した解釈をし、年長児は「文脈」を優先した解釈をするという結果を得ています。興味深いのは年中児についての実験で、年中児の中でも「英語というものが存在することを知っている」子供は、「一対一の結びつき」にこだわらず、文脈に従って英語の呼び名を理解したということです。ここにも「外国語という、自分の母語とは違う言語が存在することを知っているかどうか」という、メタな言語観の違いが反映されているようです。

このように、子供が多様な知識を使って自らの「一般化」を修正していくというのは非常に興味深いことですし、その過程がほぼ無意識のうちに行われるというのも不思議なことです。また、「多様な知識を適切に駆使する」という側面は、大人の言語理解全般にとっても非常に重要なことです。くわしくは、次の章でお話しします。

母語の習得に関する二つの立場

人間の子供はなぜ、先に述べたような巧みな方法で母語を習得できるのでしょうか？

この章のしめくくりに、母語の習得の問題に対する二つの立場を簡単にご紹介しましょう。

一つ目は、チョムスキーが提唱した「生得説」です。先ほど、チョムスキーは、スキナーによる言語習得の仮説を批判したことを見ました。実はチョムスキーがスキナーの説を含め、「人間は白紙の状態で生まれてくる」とする説全般に対して反対の立場を取っています。チョムスキーの主張は、「人間は白紙で生まれてくるのではなく、生まれつき『言葉を習得するための作り込み』を脳内に持っている」というものです。チョムスキーはこの「先天的な作り込み」を「普遍文法」と呼んでいます。チョムスキーは、子供が持って生まれてきた普遍文法が大人の話す言葉にさらされることによって、個別の言語の知識になっていくと主張しています。つまり子供が生まれた後に聞く言葉が日本語であれば、普遍文法は日本語の知識へと育っていくということです。

チョムスキーがそのような「作り込み」の存在を主張しているのは、生まれてからの経験だけでは母語の習得に不十分だと考えているからです。チョムスキーの主旨は「刺激の貧困性」という言葉にまとめられます。刺激の貧困性とは、簡単に言えば、「子供が習得できる母語の知識の豊かさに比べて、子供がそれまでに見聞きする大人の言葉は、質・量ともに乏しい」ということです。

子供が母語を習得する過程でどれくらいの量の「大人の言葉」を聞くのかを計測するのは困難ですが、少なくとも「有限」、つまり「数が限られている」ということは言えます。さらに、子供が聞く大人の言葉はしばしば不完全であるという「質の問題」もあります。

実際、私たちは言葉を話すときにしょっちゅう言いよどみますし、言いたいことそのものが途中で変わることもあります。皆さんもきっと普段の会話の中で、「そうそう、今日は美容院に、あっ、お湯が沸いてる」とか、「私のさ、誰もね、気持ちを分かってくれな……ちょっと待って、今の取り消し。あんたは違う。でしょ?」などという不完全な言葉を口にされていると思います。私もよく、「私が食べたいのは、美味しくて身体にいいものだ」と言おうとして、「私が食べたいのは、美味しくて身体にいいものを食べたい」などと言ってしまいます。つまり、子供は母語の文として自然な文、つまり母語を話す人々が「文法にかなっている」と思う文だけを聞いているわけではない、ということです。

このような「大人の言葉の乏しさ」にもかかわらず、子供は驚異的なスピードで母語を習得していきます。すでに見たように、子供はあたかも「一を聞いて十を知る」かのような習得の仕方をします。チョムスキーは、この「一を聞いて十を知る」学び方を説明するために、「生得説」を提唱したわけです。

チョムスキーがスキナーの説を批判したのは1950年代のことですが、生得説を支持する人々とそうでない人々との間では、今も激しい論争が続いています。生得説を認めず、チョムスキーの言う「先天的な作り込み」はないとする立場は「学習説」と呼ばれています。学習説を採る人々の中には、ニューラルネットワークを用いた脳のモデルを利用して、言語習得のみならず、人間の知的な能力全般を説明しようという人々もいます。この立場は「コネクショニズム」と呼ばれています。

すでに述べたように、ニューラルネットワークに基づくものを含め、機械学習は機械に一般化をさせる技術ですから、それに基づいて人間の「一を聞いて十を知る」という学び方を説明しようという流れが生まれるのは自然なことです。実のところ、コネクショニズムの立場からは、英語の動詞の過去形を学習するモデル[48]を始めとして、言語の習得モデルが多く提案されてきました。子供が単語を学ぶときのさまざまな「バイアス」についても、ニューラルネットワークによるシミュレーションが研究されています[49]。しかし、こういったバイアスが完全に生まれた後で学習されるのか、それとも生まれつきの能力が関わっているかについては、研究者の間でもまだ見解が一致していないようです[50]。

言語習得については、生得説を採るにしろ採らないにしろ、双方に説明や証明を要することがあるのは間違いありません。「先天的な作り込み」を仮定しない立場では、まっさらな状態からの学習だけで人間の豊かな言語行動を説明しなくてはなりません。また、もしニューラルネットワークによる脳のシミュレーションによってそういったことができた場合も、それが本当に人間の脳の活動を反映したものかどうかを証明する必要があります。他方、生得説の方にも、人間が生まれつき持つ「先天的な作り込み」がどんなものであるか、またそれが脳内でどのように実現されており、子供の言語習得をどのように可能にしているかを具体的に示す必要があります。近年では脳科学の発展により、脳のどの領域で語彙・音韻・文法・読解が担われているかが分かってきました。[51] 子供の言語習得という難問に取り組むには、こういった脳の研究と、言葉そのものについての研究がバランスよく進む必要があるでしょう。

また、子供の母語の習得に限らず、私たち人間は「一を聞いて十を知る」かのように新しい言葉を覚え、言葉をめぐる日々の変化に適応していきます。こういった学び方は、今のところ機械では実現できていません。第一章で「より少ない手間でさまざまな課題を解くAIを作る基盤」としてBERTやGPT‐3をご紹介しましたが、これらのモデル自体の開発には、一人の人間が一生かかっても読みつくせないほどの大量の文書が利用されています。私たちはたまに自分や他人の物覚えの悪さに文句を言いたくなりますが、事前に大量の言葉に触れることなく、瞬時に新しいことを覚えながら変化に対応していく人間の能力は、もっと顧みられても良いかもしれません。

36　ただし、文の自然さ・不自然さについての判断には個人差があります。本書では極力「日本語を母語とする話者の多くに見られる傾向を捉えた事例」を取り上げるように努めていますが、この例を含め、本書で以下に挙げる例について、筆者の判断と読者の皆さんの判断が一致しない可能性もありますのでご了承ください。

37　スーザン・H・フォスター＝コーエン（著）、今井邦彦（訳）（２００１）『子供は言語をどう獲得するのか』、岩波書店。p.151を参照のこと。

38　Skinner, B. F.（1957）*Verbal Behavior*, Copley Publishing Group.

39　Chomsky, N.（1959）"A Review of B. F. Skinner's Verbal Behavior," *Language* 35, No.1, 26-58.

40　ただし、スキナー自身は人間の創造的な言語使用を説明するために、人間が「類推」を使うと考えていました。類推を含め、言語習得における一般化については次節で取り上げます。

41　フォスター＝コーエン（２００１）、前掲書。

42　Heibeck, T. H. and Markman, E. M.（1987）"Word learning in children: An examination of fast mapping," *Child Development*, 58(4), 1021-1034.

43　Markman, E. M., Hutchinson, J. E.（1984）"Children's sensitivity to constraints on word meaning: Taxonomic versus thematic relations," *Cognitive Psychology*, Vol.16, Issue1, 1-27.

44　Imai, M. and Haryu, E. (2001) "Learning proper nouns and common nouns without clues from syntax," *Child Development*, Vol. 72, No. 3, 787-802.

45　Hall, D. G. (1991) "Acquiring proper nouns for familiar and unfamiliar animate objects: Two-year-olds' word-learning biases," *Child Development*, Vol. 62, No. 5, 1142-1154.

46　針生悦子（１９９１）「幼児における事物名解釈方略の発達的検討　――相互排他性と文脈の利用をめぐって――」、『教育心理学研究』39(1), 11-20.

47　針生悦子（１９９３）「外国語ラベルに対する幼児の解釈方略　――相互排他性原理との関連で――」、『教育心理学研究』41(3), 349-357.

48　Rumelhart, D. E. and McClelland, J. L. (1986) "On learning the past tenses of English verbs," in D. E. Rumelhart, J. L. McClelland and the PDP Research Group (eds.) *Parallel Distributed Processing*, Vol.2, The MIT Press.

49　Smith, L. B. (1995) "Self-organizing processes in learning to learn words: Development is not induction," in C. A. Nelson (ed.) *The Minnesota Symposia on Child Psychology, Vol. 28. Basic and applied perspectives on learning, cognition, and development*, 1-32.

50　梶川祥世、今井むつみ（２００６）「乳幼児期の言語発達を支える学習メカニズム：音声から意味へ」、『ベビーサイエンス』vol.5, 24-33.

51　くわしくは、以下の本の第三章をご参照ください。
酒井邦嘉（２０１９）『チョムスキーと言語脳科学』、インターナショナル新書。

第四章　コミュニケーションを可能にするもの

第二章と第三章では、人間の言葉を構成する単語や文の意味、そして文法について触れました。この第四章では、私たちが言葉を使って行うこと、つまりコミュニケーションについて考えていきます。

言葉とは何かと問われたとき、多くの人は「コミュニケーションのための道具」と答えるでしょう。「言葉の意味が分かり、言葉を適切に使えること」と「他者とのコミュニケーションができること」を同一視している人も多いかもしれません。言葉を扱うＡＩを開発する上でも、「人間と適切にコミュニケーションを取れるようにすること」が大きな目的になっています。

しかし、他者とのコミュニケーションを可能にしているのはどのような能力なのでしょうか？　第二章や第三章で見たような「単語の意味や文法についての知識」、つまり「言葉そのものについての知識」さえあれば、人間も機械も他者とうまくコミュニケーションを取れるのでしょうか？　実は、私たち人間は「言葉そのものについての知識」だけでなく、多様な知識を考慮に入れながら他者とコミュニケーションを取っています。つまりコミュニケーションがうまくいくためには、言語以外の情報も適切に扱えなければなりません。

人間の行うコミュニケーションについて考えれば考えるほど、私たちが互いの言うことを理解できるのが不思議で、奇跡的なことに思えてきます。以下では、コミュニケーションが成り立つためのさまざまな条件について見ていきましょう。

他人の意図の理解

コミュニケーションにおいて私たちが他人とやり取りするものは何でしょうか？　すぐに「言葉」とか「意味」などという答えが浮かんできますが、つきつめて考えれば、それは「自分が相手に伝えたい内容」であるはずです。ここではそれを「意図」と呼ぶことにします。

「意味」と「意図」という言葉は、日常生活ではほとんど同じ意味に使われますが、ここでは次のように区別したいと思います。意味は「単語や文そのものが表す内容」で、意図は先ほど述べたとおり「話し手が聞き手に伝えたい内容」です。「どちらも同じじゃないの？」と思われるかもしれませんが、厳密には違います。実のところ、意味と意図は必ずしも一致しません。

意味と意図が一致しない事例のうち、一番極端なものはいわゆる「符丁（合い言葉）」です。時代劇などで使われる合い言葉の「山」と「川」は、自分が仲間であるという意図を相手に伝える機能を持っています。ここで、「山」と「川」という言葉そのものが表す内容と、「お前は仲間か？」「そうだ、仲間だ」という「伝えたい内容（意図）」の間には、直接関係はありません。ただ単に、「仲間かどうかを確かめるために『山』『川』という言葉を使う」という事前の取り決めに従って、言葉そのものが表す内容とは関係のない「意図」をやり取りしているのです。

ダチョウ倶楽部《くらぶ》の上島竜兵《うえしまりゅうへい》さんの有名な言葉「絶対に押すなよ」も、意味と意図の違いを示す上で分かりやすい例です。よく知らない方のために説明しますと、以前とあるテレビ番組で、出演者が熱湯風呂《ぶろ》に入ることを売りにしているコーナーがありました（ただし、実際はお風呂のお湯は熱湯ではなく、適温だったそうです）。そのコーナーでは毎回上島さんがお風呂に入るのが「お約束」だったのですが、上島さんは浴槽のへりに上るときにいつも他のメンバーの方を警戒していました。なぜかというと、他のメンバーに背中を押されて、いきなりお風呂に落とされる可能性があるからです。しばらくの間、浴槽のへりにいる上島さんは、背後にいる他のメンバーに「押すなよ」と言い続けます。そして、最後には上島さんがメンバーに「絶対に押すなよ」と言い、その次の瞬間にお風呂の中に落とされます。これがよくあるパターンだったわけです。

すでに多くの人に知られていることではありますが、実はダチョウ倶楽部のメンバーの間では、上島さんの「絶対に押すなよ」という言葉が「押せ」という合図になっていました（つまり上島さんは、「絶対に押すなよ」ということで、「風呂の中に落ちる準備ができたから、今は押していいタイミングだ。だから押せ」ということをメンバーに伝えていたのです）。これも一種の符丁ですが、文そのものが表す内容（「絶対に押すなよ」）と、そこに込められた意図（「押せ」）が正反対になっているという意味で、面白い例だと思います。

以上の例で、意味と意図が必ずしも一致しない場合があることはお分かりいただけたことと思います。もちろん、合い言葉そのものは私たちの日常に多く登場するものではありません。しかし、意味と意図のずれや不一致は、私たちが認識しているよりも頻繁に起こっています。その原因の一つが、単語や文の曖昧《あいまい》さです。

単語の曖昧性

単語や文のほとんどは曖昧で、複数の異なる内容を表します。私たちは多くの場合、言葉の曖昧さにうまく対処しているため、普段はそれほど曖昧さを意識することはありません。しかし曖昧さの要因は多く、それらが絡み合うことで常時いくつもの解釈が生まれています。他人の言葉を聞く私たちは、ほぼ無意識ながら、頻繁に「どれがこの人の意図なのか」を推測しています。

言葉の曖昧さと聞いて、多くの方はまず「同音異義語」を思い浮かべられるのではないでしょうか。つまり「音は同じだけど意味が違う言葉」です。世の中にはそのような言葉がたくさんあります。「橋」と「端」、「汚職事件」と「お食事券」、「帰省中」と「寄生虫」など、数え上げたらきりがありません。日本漢字能力検定のウェブサイトによれば、「こうしょう」という音を持つ同音異義語は四十八個もあるそうです。[52]

一休《いっきゅう》さんのとんち話に出てくる「このはしわたるべからず」のエピソードは、同音異義語によって起こる曖昧さを利用して、聞き手が話し手の意図とは異なる解釈をわざと選ぶ例です。一休さんを困らせようとして「このはしわたるべからず」という立て看板を出した桔梗屋《ききようや》さんは、「橋」を意図して「はし」と書きました。しかし、一休さんはわざと

「端」だと解釈して、まんまと橋の真ん中を渡ります。この文の曖昧さは、「はし」が「橋」と「端」のどちらにも解釈できる「同音異義語」であることと、「橋」と「端」の両方が「渡ることのできるもの」であることから生じています。

同音異義語の多くは、「意味はまったく違うけれども、音がたまたま同じ」であるような言葉です。しかし、これとはまた別に、一つの語がたくさんの意味を持つケースもあります。辞書を見てみれば一目瞭然《りょうぜん》ですが、ほとんどの言葉には複数の語義があります。「犬」にはイヌ科の動物という語義に加え、「会社の犬」「国家の犬」などのように「組織に飼い慣らされた人」という語義もあります。「食う」という動詞にも、「食べ物を食べる」という語義と、「ガソリンを食う」という表現に見られるような「消費する」という語義があります。これらのように、複数の語義を持つ語のことを「多義語」と言い、語に複数の語義があることを「多義性がある」などと言います。

多義性は、辞書に載っているような語だけでなく、商標名などにも見られます。知人に聞いた話ですが、あるお店でアルバイトをしている学生さんが、アルバイト先の店長さんに「今日は暑いね。悪いけど、アリナミン（武田薬品が売り出している栄養剤）を買ってきてくれないかな」と頼まれたそうです。店長さんがそう言ったのは、暑くて喉《のど》が渇いており、アリナミンのドリンク剤を飲みたいと思ったからでした。しかし学生さんはそれが分からず、薬局で錠剤の方を買ってきてしまったそうです。ちなみに筆者も、知人から「ハイター（花王が販売する漂白剤）を買ってきて」と頼まれ、台所用のハイターを買っていったところ、「洗濯用のハイターが欲しかったのに」と言われたことがありました。私の場合は、たまたまスーパーで目に付いた「ハイター」が台所用で、洗濯用のものもあることに気づかなかったので、相手の意図に沿うことができませんでした。なかなか難しいものです。

以上は具体的なものや動作を表す語の曖昧性の例ですが、「ようだ」とか「〜してしまう」のように、具体的なものや動作を表さないような語（機能語）にも曖昧性があります。実のところ、機能語の多くは複数の用法を持ちます。

たとえば「ようだ」には、「どうやら太郎は花子のことが好きであるようだ」に見られるような「推量」の用法、「花子はまるで妖精《ようせい》のようだ」に見られる「比喩《ひゆ》」の用法、「失礼いたします。たった今、お車が到着したようです」に見られる「婉曲《えんきょく》」の用法などがあります。「〜してしまう」には、「花子は早くも夏休みの宿題を済ませてしまった」のように「一連の行為が完了する」ことを表す用法と、「太郎は花子を怒らせてしまった」のように「取り返しのつかないことをする」という用法があります。

同音異義語や多義語の持つ複数の語義のうちのどれを「話し手の意図」として選ぶかは、機械にとっては難しい問題ですし、人間でも間違うことが多々あります。しかし、同音異義語や多義語の語義は、一応辞書に書かれているという意味では比較的扱いやすいと言えます。単語の曖昧さの中にはこれ以外にも、辞書には書かれない、やっかいなものがあります。

そのうちの一つが、普通名詞にまつわる曖昧さです。たとえば「猫」という普通名詞について考えてみましょう。以下の文に出てくる「猫」は、どれも辞書の語義で言えば「ネコ科の動物」ですが、それぞれ意味が違います。どんなふうに違うかお分かりでしょうか？

A．猫は動物だ。
B．あ、もうこんな時間！　猫にえさをあげなきゃ！
C．猫はマタタビを好む。
D．太郎は猫を飼いたがっている。
E．猫は世界中に分布している。
F．私は猫だ。

まずAの「猫は動物だ」は、普通に考えれば「すべての猫」についての文です。つまり、「すべての猫は動物だ」と言っているわけです。道ばたで見かけた猫も、誰かの家で飼われている猫も「どれも例外なく」動物だということです。

これに対し、Bの「猫にえさをあげなきゃ！」は「すべての猫にえさをあげなきゃ」と言っているわけではありません。おそらく、この文の「猫」は、話し手が飼っている特定の猫のことであると考えるのが自然でしょう。

Cの「猫はマタタビを好む」はどうでしょうか？　これはAの「すべての猫」に似ているように見えますが、厳密には違います。当然ながら、世の中にはマタタビを好まない猫もいますし、Cのように言った人もそれを知った上で言っているのかもしれません。だとしたら、Cに込められた意図は、「例外はあるだろうけど、世の中のたいていの猫はマタタビを好む」とか「猫は一般にマタタビを好むものだ」ということになります。つまり、「すべての猫」とは違う、「たいていの猫」とか「猫一般」を表しているわけです。

Dの「太郎は猫を飼いたがっている」は、これ自体曖昧な文です。この文には、太郎が特定の猫を飼いたがっているという解釈と、特定の猫を念頭に置いておらず、とにかく

「猫である」という条件を満たしているものを飼いたがっている、という解釈があります。

Eの「猫は世界中に分布している」は、「猫という生物種」についての文です。これも「すべての猫」と似ているように見えるかもしれませんが、厳密には異なります。Aの「(すべての)猫は動物だ」という文が成り立つ場合は、個々の猫(ミケやクロ)についても「ミケは動物だ」「クロは動物だ」ということが言えます。しかし、Eの「猫は世界中に分布している」が成り立つ場合でも、「ミケは世界中に分布している」とか「クロは世界中に分布している」などといったことは言えません。

最後のFの文「私は猫だ」は、実に多くの解釈が可能です。どなたでも真っ先に思いつくのは、夏目漱石《なつめそうせき》の『吾輩は猫である』の主人公のように、猫自身が自分のことを「猫だ」と言っているような解釈でしょう。しかし、猫ではなく人間が「私は猫だ」と言うことも可能です。たとえば、数人の人たちが「好きな動物は何か」について話をしている場合には、そのうちの誰かが「私は猫が好きだ」ということを意図して「私は猫だ」と言うことが可能です。他方、「嫌いな動物は何か」を話し合っている文脈で「私は猫だ」と言う場合は、「私は猫が嫌いだ」という意味になります。「自分を動物に喩《たと》えると何か」が話題になっている文脈でそう言うと、「私という人間を動物に喩えると、それは猫だ」という意味になります。

このFの解釈は、いわゆる「ウナギ文」に類するものです。よく知られているように、「僕はウナギだ」という文は、「お店で料理を注文する」という文脈さえ整えば「私はウナギを注文する」を意味することができます。「私は猫だ」もこれと同様に、文脈次第で解釈の自由度が広がる例の一つです。

「猫」という言葉の解釈には、A～Fに挙げた以外のものもあります。私たちは普段、「猫」という言葉を理解するとき、これほど多くの可能性の中から適切な解釈を選んでいることになります。

句の曖昧性

同音異義語や多義語といった単語レベルの曖昧さ以外にも、曖昧さの要因は山ほどあります。とくに、単語が複数集まった「句」のレベルになると、単語の曖昧さだけでなく、単語のつながり方やその他の要因による曖昧さも出てきます。たとえば次に挙げる句は曖昧で、少なくとも二通り以上の意味を持ちます。それぞれどんな曖昧さがあるか、ためしに考えてみてください。

A．いちごとイチジクのケーキ
B．白いギターの箱
C．花子がよく飲む紅茶
D．山田さんが好きな人
E．太郎が嫌いな人が多い場所

まず、Aの「いちごとイチジクのケーキ」は簡単だと思います。これは、「［いちごとイチジク］のケーキ」なのか、「［いちご］と［イチジクのケーキ］」なのかで曖昧です。つまりこれは、句の中でどの部分を「かたまり」と見なすかによって解釈が変わる例です。「［いちごとイチジク］のケーキ」の場合は、「いちごとイチジクの両方を使ったケーキ」ということになりますが、「［いちご］と［イチジクのケーキ］」の場合は「いちご」と「イチジクのケーキ」という二つのものを表していることになります。後者の場合は「イチジクのケーキといちご」というふうに言い換えることができますが、前者の場合はできません。

Bの「白いギターの箱」は、「白い」が「ギター」を修飾しているか、「（ギターの）箱」を修飾しているかによって曖昧になる例です。前者の場合、白いのはギターで、後者の場合、白いのは箱だということになります。これも、この句の中のどこが「かたまり」になっているかによって意味が変わってくる例です。「［白いギター］の箱」のような構造であれば前者の解釈が出てきますし、「白い［ギターの箱］」という構造であれば後者の解釈が出てきます。

Cの「花子がよく飲む紅茶」は一見すると、どこが曖昧なのか分かりにくいかもしれません。実はこの例では、「花子がよく飲む」という部分が、「紅茶」の中身を限定するかしないかによって、異なる意味になります。「花子がよく飲む」が「紅茶」の中身を限定する場合は、「紅茶のうち、花子がよく飲むもの」という意味になります。つまり、紅茶全般ではなく、「紅茶の中の特定の種類（ダージリンとか、アッサムとか）で花子がよく飲むもの」を表すことになります。これに対し、「花子がよく飲む」が「紅茶」の中身を限定しない場合は、花子は紅茶全般をよく飲むということになります。他の表現で言い換えるとすれば、「紅茶という、花子がよく飲むもの」に近い意味になるでしょう。

Dの「山田さんが好きな人」は、「山田さんが好いている人」なのか、「山田さんのことを好いている人」なのかで曖昧です。つまり、山田さんが「好き」の主体なのか、対象なのかで曖昧なわけです。これは、「好き（だ）」に伴う「誰々が」という言葉に、「好き」の主体を表す場合と対象を表す場合の両方があることに起因しています。

Eの「太郎が嫌いな人が多い場所」はどうでしょうか。まず、これには「太郎が嫌いな」が修飾しているのが「人」なのか「人が多い場所」なのかという曖昧性があります。前者の場合は「太郎が嫌いな人が、数多く集まっている場所」ということになりますが、後者の場合は「人が多く、（それゆえに）太郎が嫌いな場所」とほぼ同じ意味になります。また前者の場合はさらに、「太郎のことを嫌っている人が、数多く集まっている場所」なのか、「太郎が嫌っている人が、数多く集まっている場所」なのかという曖昧性がありま す。つまりこれはDで見た曖昧さと同種のものです。後者の場合は、「人が多い場所のうち、太郎が嫌いな場所」なのか、「人が多い場所という、太郎が嫌いなもの」なのかという、「人が多い場所」を「太郎が嫌いな」が限定するかしないかという点でも曖昧になります。これはCで見た曖昧性と同種のものです。つまりこの句にはさまざまな曖昧性の要因が重なっているために、多くの解釈の可能性が出てきます。

文の曖昧性

句が集まって文になると、さらに曖昧性の要因も増えます。次の例をご覧ください。

A. 太郎は昨日花子に会ったと言っていた。
B. それは個人の問題ではないかと思う。
C. 山田先生は道行く人に駅の場所を尋ねられた。
D. 鈴木さんは部下の結婚式に夫婦そろって出席しなかった。
E. 太郎と花子は『春の小川』と『さくら　さくら』を歌った。

Aの「太郎は昨日花子に会ったと言っていた」は、「昨日」が、「太郎が花子に会った」時点を表しているのか、「太郎が（自分が花子に会ったと）言った」時点を表しているのかで曖昧です。この曖昧さは、「昨日」の位置が、「～に会った」を修飾しているようにも見えるし、「～と言っていた」を修飾しているようにも見えることから来ています。もしAを「太郎は花子に会ったと昨日言っていた」のように言い換えれば、「昨日」が「会った」を修飾できなくなるので、前者の解釈は不可能になります。

Bの「それは個人の問題ではないかと思う」は、私が実際にSNSで見かけた例です。これを見たとき、私はこの人が「それは個人の問題ではない」と思っているのか、反対に「それは個人の問題だ」と思っているのかが分かりませんでした。その理由は、「ではないか」という部分の曖昧性にあります。「〜ではないか」は、「〜では」＋否定の「ない」＋疑問の「か」であれば、「〜とは違うだろう」という否定的な推量を表すことになります。これとはまた別に、「〜ではないか」全体で、「〜だろう」とか「〜であるはずだ」に近い肯定の推量を表す場合もあります。ちなみに、この二つは発音が違うので、話し言葉では曖昧になりません。くわしくは後で説明します。

Cの「山田先生は道行く人に駅の場所を尋ねられた」は、「られる」が受け身を表すか尊敬を表すかで曖昧であり、その曖昧さが文全体の解釈に影響を及ぼしている例です。「られる」が受け身である場合、駅の場所を質問したのは道行く人で、質問を受けたのは山田先生です。これに対し、「られる」が尊敬の意味である場合は、山田先生が質問をした側であり、道行く人が質問を受けた側になります。

Dの「鈴木さんは部下の結婚式に夫婦そろって出席しなかった」はどうでしょうか？これには、「鈴木さん夫妻が二人とも欠席した」という解釈と、「鈴木さん（夫）は出席したが、鈴木さんの妻は欠席した」（あるいは「鈴木さん（妻）は出席したが、鈴木さんの夫は欠席した」）という解釈があります。このような曖昧さの原因は、「〜なかった」という否定の表現の影響範囲が曖昧であることです。つまり、「夫婦そろって出席しなかった」という部分は、「〜なかった（↓ない）」の影響範囲によって、次のように解釈が変わります。

（［　］の中が「なかった」の影響範囲）
［夫婦そろって出席し］なかった↓「夫婦そろって出席する」ということをしなかった。
夫婦そろって［出席し］なかった↓「出席しない」ということを、夫婦そろってした。

右に見られるように、「〜なかった」の影響範囲が「夫婦そろって出席し」にまで及ぶ場合は、「夫婦そろって出席するということはしなかったが、片方は出席した」という解釈が可能です。これに対し、「出席し」のみが「〜なかった」の影響範囲に入る場合は、「夫婦そろって欠席した」という意味になります。

Eの「太郎と花子は『春の小川』と『さくら　さくら』を歌った」には、少なくとも三通りの解釈があります。皆さんは、いくつ思いつかれたでしょうか？

一つは、太郎と花子が一緒に『春の小川』と『さくら　さくら』の両方を歌ったという解釈です。つまり太郎と花子がそれらの曲を「合唱」したという解釈です。二つ目は、太郎が一人で『春の小川』と『さくら　さくら』の二曲を歌い、それとは別に花子も一人で『春の小川』と『さくら　さくら』を歌った、という解釈です。三つ目の解釈は、太郎が一人で『春の小川』を歌い、花子が一人で『さくら　さくら』を歌ったというものです。こういった曖昧さは、「〇〇と〇〇」という部分をどのように解釈するかによって出てくるものです。

以上のように、言葉の曖昧さにはさまざまな要因があります。一定以上の長さを持つ文は、曖昧さの要因がいくつも重なるために数多くの解釈を持つことになります。実のところ、ここで挙げた曖昧さの要因は、私たちが言葉を理解する際に対処しているものの一部でしかありません。くわしくは、拙著『自動人形《オートマトン》の城』などをご参照ください。

不明確性

これまでに見た言葉の曖昧さは、コミュニケーションを円滑に進める上で非常にやっかいなものです。ただし、これまでに見た例のほとんどは、「可能な解釈どうしを明確に区別できる」という特徴と、「可能な解釈の数が限られている」という特徴を持ったものでした。こういった特徴を持った曖昧さを、専門用語で「曖昧性(ambiguity)」と言います。つまり曖昧性というのは、それぞれの意味が区別できて、数も限られており、それゆえに「話し手の意図をこの中から選びなさい」というリストを作ることができるような曖昧さのことです。

たとえば、同音異義語の「はし」を例に挙げると、可能な解釈は「橋」と「端」の二つであり、それらは明確に区別できます。また「太郎が嫌いな人が多い場所」は非常に複雑な例でしたが、それでも解釈を列挙すること自体は可能です。このように、「解釈をリストアップできる」というのは、コンピュータやAIに曖昧さを処理させる上でとても重要なことです。

しかしながら、言葉に見られる曖昧さの中には、可能な解釈をリストアップしきれないもの、つまり「可能な解釈がいくらでも考えられるもの」があります。

たとえば、「洗う」という言葉を考えてみましょう。この言葉の意味を辞書的に言い表すと、「水などの液体を使って汚れを落とすこと」です。しかし、それを具体的な行為として実現する場合、やり方はいくらでもあります。

まず、「何を洗うか」によって洗い方が変わるのは言うまでもありません。服を洗うのと、食器や調理器具を洗うのと、野菜を洗うのと、米を洗うのと、車を洗うのと、自分の手や身体を洗うのとでは、おのずから洗い方が違ってきます。また、食洗機や洗濯機などの機械を使うのか使わないのか、使う場合にはどのような設定で使うのかなど、選択肢はいくらでもあります。手で洗うにしても、ゴシゴシこするのか、こすらずに洗うのか、どれほどの強さで洗うのか、どれほどの時間洗うのか、洗剤をつけて洗うのか、つけないで洗うのか、洗剤をつける場合はスポンジでつけるのか、直接洗剤をかけるのか、洗剤を溶かした液につけ置きするのか、その場合は何分ぐらい置くのか……などなど、考えたらきりがありません。しかし、もし誰かに「これを洗って」と言われたら、私たちはこういった無限の選択肢の中から具体的な洗い方を選んで「洗う」ことになります。

こういった曖昧さがなぜ起こるかというと、「洗う」という言葉が抽象的であり、具体的な行為に落とそうとするといくらでも異なる解釈ができるためです。こういった曖昧さは「不明確性（vagueness）」と呼ばれ、先に見た「曖昧性」とは区別されます。困ったことに、世の中にある言葉のほとんどは不明確性を持ちます。

たとえば、ものを回転させる動作を表す「回す」という言葉は、非常に具体的であるように思われるかもしれません。しかし実際には、何を回すか、どこを中心軸として回すか、どんな速さで回すかによって、まったく異なる回し方になります。バトントワリングでバトンを回すのであれば、バトンの軸の中央あたりを中心にして回すでしょうし、焼き鳥などの焼き串《ぐし》を回すのであれば、串を中心軸として回すでしょう。皿回しをする場合は、皿の底を中心にして皿の縁を回転させます。はたまた扇風機を回す場合は、手で回転させるのではなく、スイッチを入れることになります。

言葉の不明確性に対処するには、常識や専門知識、あるいは文化的背景などを相手と共有している必要があります。そういった事前の知識がなければ、抽象的な言葉を具体的に解釈する際に生じる「無数の選択肢」の中から、どういう行動を選んだらいいか分からなくなってしまいます。料理をほとんどしたことがない人は、「塩を少々加えてください」と言われても、「少々」が具体的にどれくらいの量か分からないでしょう。「米を洗って」と言われて、洗剤を使ってしまう人もいます。「米は、研ぎ汁が透明になるまで研ぎましょう」という指示を見て「研ぎ汁が完全に透明になること」を目指してガシガシ研いだ結果、米が全部砕けてしまったという人の話も聞いたことがあります。

私たちの言葉は見た目以上に抽象的であるがゆえに、こういった失敗につながる罠《わな》がたくさん潜んでいます。普段私たちがこういったことにあまり煩わされないのは、常識やその他の知識をうまく使っているからです。このことについては、また後でくわしく見ます。

言外の意味

ここまでは、語句や文の曖昧性や不明確性といった、「複数の可能な解釈の中から話し手の意図を選ばなくてはならないケース」をご紹介してきました。これらのケースも非常にやっかいですが、言葉にはいわゆる「言外の意味」もあります。これは、語句や文そのものが表す内容と、話し手の意図がずれているケースです。

言外の意味として、この章ではすでに符丁（合い言葉）を紹介しました。符丁は話し手と聞き手の間での「取り決め」によって成り立つ特殊なものですが、言外の意味にはこれ以外にもさまざまなものがあります。その多くは日常的なものであるため、私たちはそれが言外の意味であるということに気づかないこともあります。

たとえば子供たちが騒いでいるときに、親が彼らに向って「うるさい」と言うことがあります。私たちはたいてい、そのような「うるさい」を、「黙れ」「静かにしろ」のような命令（あるいは注意）だと受け止めます。しかしよく考えてみたら、「うるさい」という言葉自体は、子供が騒いでいる状況について親がどう感じているかを表しているに過ぎません。つまり、「うるさい」という言葉そのものの中には「命令」や「注意」の意味はないのです。

ではなぜ、「うるさい」は命令や注意といった意図を表せるのでしょうか？　それは、聞き手の側が、「なぜこの人は、この状況で『うるさい』と言ったのか」という推測を働かせるからです。この推測から、「この人が『うるさい』と言ったのは、子供に静かにしてほしいからだ」という「意図」が出てくるわけです。

また別の例を見てみましょう。皆さんが、誰かにきらきら光る無色透明な石をいくつか見せられて、「この中には偽物のダイヤモンドがあります」と言われたとします。そういう場合、きっと皆さんは「この中には、偽物でないものもあるんだな」、つまり「本物のダイヤも含まれているんだろうな」と解釈すると思います。そして、どれが本物で、どれが偽物かを見極めようとするでしょう。そんなとき、もし相手が「実は、全部偽物でした

〜」などと言ったらどうでしょうか。「騙《だま》された！」と思うのではないでしょうか？

　ここで重要なのは、「この中には偽物のダイヤモンドがあります」という言葉自体は、「これらは全部、偽物のダイヤモンドです」という内容と矛盾しない、ということです。つまり、「この中には偽物のダイヤモンドがあります」という言葉自体は嘘ではないのです（実際に、その中には偽物のダイヤが「存在する」わけですから）。では、なぜ皆さんが「騙された！」と思うかというと、「この中には偽物のダイヤモンドがあります」という言葉に、「この中には偽物でないものもある」、つまり「すべてが偽物であるわけではない」という「言外の意味」がくっついているからです。

　この言外の意味が生じるメカニズムも、「うるさい」から「黙れ」が出てくるメカニズムと同じです。つまり「なぜこの人はこの状況で、『この中には偽物のダイヤモンドがあります』と言ったのか」という推測が、この「言外の意味」を生み出します。よりくわしく言えば、聞き手は次のような推測をしています。

「これらのダイヤモンドがすべて偽物なのであれば、話し手は『これらは全部、偽物のダイヤモンドです』と言うはずだ。それなのにそう言わず、あえて『この中には偽物のダイヤモンドがあります』という言い方をするのは、この中に偽物ではない、本物のダイヤが含まれているからに違いない」

実は、この推測には「話し手は聞き手に、事実を適切な言い方で伝えるものだ」という前提があります。私たちは他人とコミュニケーションを取るとき、お互いに対して（1）本当のことを伝え、（2）無駄を省いて必要なことだけ伝え、（3）今の話題に関連のある形で伝え、しかも（4）曖昧さを極力避けて伝えるものだ、ということを暗に期待しています。[53]そして、それらの期待を土台にして「相手はなぜ、今の状況でこのようなことを言ったのか」とか、「なぜ、あのような言い方をせず、このような言い方をしたのか」などといったことを考えます。そこから、相手の言葉そのものにはない「言外の意味」、つまり「相手の意図」を推測するのです。

「この中には偽物のダイヤモンドがあります」と言った人は、嘘を言ったわけではありません。しかし、コミュニケーションの土台となる「無駄を省いて必要なことだけを伝えるという誠意」に欠けており、なおかつ聞き手に「誠意のある話し手」だと思われていることを利用して、わざと誤解を誘っていると言えます。

このような推測から出てくる「言外の意味」は、「会話的含み（conversational implicature）」と呼ばれます。会話的含みには、先の例以外にもさまざまなものがあります。たとえば皮肉や冗談も、会話的含みに含まれます。皮肉や冗談の多くは、「話し手はなぜ、あえて『真実ではないこと』を言っているのか」という推測から生まれる「言外の意味」です（注：ただし話し手が真実を言っていても冗談や皮肉になるケースも存在します。たとえば夏の北海道は涼しいと期待して北海道に行き、予想に反して猛暑に見舞われた場合、「これが夏の北海道だ！」のように真実を述べることが皮肉になるケースが考えられます）。

意図理解の手がかり

これまでに見てきたさまざまな要因を考えると、私たちが普段何気なく使っている言葉にも実に多くの解釈があることが分かります。しかし、いつもそういった膨大な解釈に煩わされて困っているという実感のある人は、あまりいないのではないでしょうか。実のところ、私たち人間は多様な手がかりを利用して、相手の意図をうまく絞り込んでいます。そして、相手とのコミュニケーションがうまくいっているかぎり、その過程はほとんど意識に上りません。

私たちが相手の意図を推測する手がかりについてはすでにいくつか見てきましたが、ここで一度、どのようなものがあるかを整理しておきましょう。

音声の情報

言語の知識のうち、意図の理解に大いに貢献するものとして、アクセントなどの音声的な情報があります。実際に私たちは音声に大きく頼ったコミュニケーションをしています。

アクセントは、同音異義語などの一部を区別するのに役立ちます。日本語のアクセントは「高低アクセント」と呼ばれるもので、単語の中に音の高さが下がるポイント（アクセント核と呼ばれます）が存在するかどうか、また存在する場合はどこにあるかでアクセントが変わります。

たとえば「箸《はし》」と「橋」と「端」はアクセントが異なります。「音の高さが下がるポイント」を「↓」で示すと、次のようになります（東京方言の場合です）。

「箸」は↓し
「橋」はし↓
「端」はし

つまり「箸」は「は」の直後に音が下がるポイントがあり、「橋」は「し」の直後にあり、「端」にはそのようなポイントがないわけです。

先に触れた、「それは個人の問題ではないかと思う」の「ではないか」の曖昧性も、話し言葉であればアクセントの情報によって解消することができます。否定の推量の「ではないか」の場合は、「では↓な↓いか」のように「は」と「な」の直後で音の高さが下がります。肯定の推量（「だろう」や「であるはずだ」に近い意味）の場合は、「で↓はないか」のように「で」の直後で下がります。

アクセントのような音声的な手がかりは機械のセンサーによっても検知できるため、AIにも利用することができます。

常識

音声は言語特有の知識ですが、私たちが他人の意図を理解しようとするときには言語以外の知識も大いに活用しています。そのような知識として真っ先に挙げられるのは、いわゆる「常識」です。ただし、常識と一口に言ってもさまざまなものがあります。

一つには、物事の「カテゴリー」、つまり種類に関する知識が挙げられます。たとえば「お食事券」と「汚職事件」は同音異義語でアクセントも同じなので、単に「おしょくじけん」と聞いただけではどちらのことを言っているのか分かりません。しかし、「おしょくじけんをもらった」と聞いたら、私たちは瞬時に「お食事券のことだな」と解釈しますし、「おしょくじけんが起こった」なら「汚職事件だろう」と解釈します。

つまりお食事券と汚職事件には、「もの」か「出来事」かという「カテゴリーの違い」があります。一般に「もらえる」のは「もの」であり、「起こる」のは「出来事」です。こういった違いが周囲の単語などから読み取れれば、私たちはどちらの「おしょくじけん」なのかを判断できます。ただし、「さっきテレビで、おしょくじけんの話をしていたよ」といった文では、カテゴリーの違いがはっきりしないので「お食事券」なのか「汚職事件」なのか分かりません。私たちはとっさにどちらかを選びますが、間違っている可能性もあります（たとえば、「テレビでわざわざ言うのであれば、汚職事件の方だろう」と思っていたら、相手は「グルメ番組でお食事券をプレゼントするって言っていたよ。応募しようかなあ」などと続けるかもしれません）。

句や文の曖昧性を解消する上でも、カテゴリーについての知識がたびたび使われます。先ほど、「白いギターの箱」という句に「ギターが白い」という解釈と「箱が白い」という解釈があると説明しましたが、もしこれが「白いギターの音」という句であれば「ギターが白い」という解釈しかありません。なぜなら、「音」は色や形を持たないので、「音が白い」という解釈が排除されるのです。言葉を扱うＡＩがこういった曖昧性を排除する際にも、周囲にカテゴリーの情報を示唆する言葉があれば大きな手がかりになります。

また、言葉が貼り付けられている物体や場所の機能についての知識も重要です。たとえば「１００キロ制限」という言葉自体は、「キロメートル」なのか「キログラム」なのかで曖昧です。しかし、もし高速道路の標識に「１００キロ制限」と書かれていたら、その「キロ」は「キロメートル」ですし、もし荷物用のエレベーターなどにそう書かれていたら「キログラム」だと分かります。それは、私たちが高速道路やエレベーターの機能を知っており、それに関わる「１００キロ」が速さなのか重さなのかを推測できるからです。

先に挙げた「回す」の不明確性に対処する際にも、私たちは物体の機能に関する知識を使っています。バトンや焼き串、また扇風機がどのような機能を持っており、それらの機能と「回す」という動作がどのような関係を持っているかを知っているからこそ、「バトンを回す」「焼き串を回す」「扇風機を回す」に対してそれぞれ違う回し方ができるのです。「現実世界において何が起こり得て、何が起こり得ないか」についての知識も、曖昧さの解消に使われることがあります。たとえば、あなたが友人とバーに入り、友人が棚に置いてある高価なワインを指さして「昔、あのワインをフランスで飲んだことがある」と言ったとしましょう。実は、指さしとともに使われる「あのワイン」は、今指さしている物体そのものを意味するのか、あるいはその物体の種類（つまり、「あのワインと同種のもの」）を意味するのかで曖昧です。しかしこの場合、友人の言う「あのワイン」が後者であることは明白です。なぜなら、昔友人がフランスで飲んだワインの現物が、今このバーに置いてある確率はきわめて低いからです。

また、「つねに」という言葉には不明確性があり、「一瞬の中断もなく、四六時中」なのか、「毎日数時間程度」なのか、「私が見るときはいつも」なのか、はたまたそれ以外の頻度なのか曖昧です。しかし、「私たちはつねに呼吸している」「軍事衛星はつねにミサイルを監視している」といった文では、「つねに＝四六時中」だと解釈できます。一方、「あの人はつねに不満を口にする」「あの人はつねに服装に気を遣っている」の中の「つねに」については、「毎日」あるいは「私が見るときはいつも」だと解釈するのが普通で、「四六時中」だとは思いません。なぜなら、私たちはどんなに頑張っても、四六時中不満を言ったり服装に気を遣ったりすることはできないからです。つまり「つねに」の解釈には、文中で言及されている行為がどれほどの時間続けて行えることなのかに関する常識が働いているわけです。

ここまで見てきた「常識」は、当たり前すぎて私たちがあまり意識しないタイプの知識です。これ以外に、社会のマナーやモラルに近い意味での「一般常識」が意図の理解に使われることもあります。

たとえば、先ほど「山田先生は道行く人に駅の場所を尋ねられた」という文が曖昧であることを見ました。この曖昧性の原因は「られる」が尊敬を表しているのか受け身を表しているのかで曖昧だという点にありましたが、「山田先生は電車の中で財布を盗まれた」という文なら「尊敬ではなくて受け身の方だな」とすぐ分かります。なぜなら、「財布を盗む」という行為は尊敬に値するようなことではないからです。

以上のように、常識と言っても多岐にわたります。また、「山は空中に浮かない」「座ることと立つことは同時にはできない」「家に忘れてきたものは、家の中にある」「テーブルの一部が壊れていたら、そのテーブルは壊れている」など、普段私たちがあまり意識しない常識を含めると、その量は実に膨大です。新しい常識も日々増えていきますし、時代によって過去の常識が覆されることもあります。このような事情もあり、どうやって機械に常識を持たせるかは大きな課題となっています。

話し手本人についての知識

いわゆる常識に加えて、言葉を発する本人、つまり話し手についての個別の知識も意図の理解にしばしば必要になります。

話し手の置かれている状況が分かって初めて、話し手の意図がはっきりする例はたくさんあります。先ほど、「〜してしまう」という表現に「一連の動作の完了を表す用法」と「取り返しのつかない行為を表す用法」があることに触れました。たとえば、誰かが「ビールを飲んでしまった」と言うのを聞くだけでは、それが「ビールを飲むという行為をひととおり完了した」という発言なのか、「ビールを飲むという、取り返しのつかないことをした」という発言なのか分かりません。しかし、聞き手が話し手について「健康上の理由でお酒を飲んではいけない人」だということを知っていれば、「取り返しのつかないことをした」という意味でこう言っているのだろうと推測できるでしょう。逆に、話し手が禁酒中でも何でもなく、ビールが大好きで手元にビールがないと寂しいという人であることが分かっていれば、「手持ちのビールを飲み終わった」という「動作の完了」の意味だと推測できます。

話し手と自分との関係についての知識も重要です。たとえば、あなたが誰かに、「あなたのように賢くない人はどうしたらいいんでしょうね」と言われたとします。この言葉は曖昧で、「あなたは賢いが、あなたと違って賢くない人はどうしたらいいんでしょうね」という解釈と、「あなたと同じく頭が悪い人はどうしたらいいんでしょうね」という解釈があります。あなたがどちらに解釈するかは、発言した人とあなたの関係性に大きく依存します。もしその人があなたに敬意を持っている人で、あなたもそのことを知っているのであれば前者のように解釈するでしょうし、逆にその人があなたを日頃から馬鹿にしてくるような人であれば、おそらく後者のように解釈するでしょう。

話し手を取り巻く状況や聞き手との関係性に加え、「話し手が何を知っているか」（つまり、話し手の知識状態）についての知識も、意図を推測する上でよく使われます。たとえば、あなたの友人が「太郎は金持ちのようだ」と言っているとします。この文だけでは、「ようだ」という言葉の多義性のせいで、「太郎は金持ちであると推測できる」という推量の意味なのか、「太郎は金持ちではないけど、まるで金持ちみたいに振る舞っている」という比喩の意味なのか分かりません。友人の意図がどちらなのかをあなたが知るためには、友人が太郎の経済状況についてどれほどの知識を持っているかを知っている必要があります。

話し手の知識状態についての知識は、言外の意味――とくに冗談や皮肉を理解するときにも必要です。先に述べたように、話し手が冗談や皮肉のつもりで「真実ではないこと」を言った場合、聞き手は「話し手はなぜ、あえて『真実ではないこと』を言っているのか」という推測をする必要があります。その推測をするためには、聞き手の側に「話し手の言うことは真実ではない」という知識に加え、「話し手は、自身の言っていることが真実ではないと知っている」という知識が備わっていなければなりません。さらに、話し手の側も、「自分の言うことが真実でないことを、聞き手が了解している」ことを知っている必要があります。これらのうちのどれが欠けても、冗談は冗談に聞こえなくなってしまいます。冗談というのは、そういう意味で非常に危ういものです。

会話の文脈

会話が起こっているシチュエーションや、会話の中で話題になっていることなどといった「文脈の情報」が、意図の推測に必要であることは言うまでもありません。

文脈によって解釈が左右される言葉のうち、代表的なのは「代名詞」でしょう。「彼」「彼女」「あいつ」「それ」「この話」などを適切に解釈するには、それまでの文脈で誰（あるいは何）が話題に上っているかが分からなくてはなりません。何の脈絡もなく「この前、あいつに会ったよ」と言われても、誰のことか分かりませんし、もし分かるようであれば、話し手と聞き手の間ですでに文脈が共有されているはずです。

また、先に挙げた「ウナギ文」も、解釈のために文脈の理解を必要とする例の典型です。「帰るための交通手段を聞かれている」という文脈がなければ、「私は地下鉄です」のような文はきわめて不明確です。

その他の曖昧性への対処にも、文脈は重要な働きをします。先に、「太郎と花子は『春の小川』と『さくら　さくら』を歌った」という文に少なくとも三通りの解釈があることを見ました。しかし、もしこの文がソロ歌手のオーディションについてのもので、なおかつそのオーディションの参加者が春の歌を一曲だけ歌うことが文脈から明らかだとすると、

「太郎が一人で『春の小川』を歌い、花子が一人で『さくら　さくら』を歌った」という解釈が選ばれると思います。また、もし太郎と花子が夫婦であり、「夫婦で歌う歌の発表会」に参加しているという文脈があれば、「太郎と花子がそれらの曲を合唱した」という解釈が選ばれるでしょう。

文化や慣習に関する知識

文化や慣習についての知識も意図理解にとって重要です。私たちが外国の人と話していてうまく話が通じない場合は、言語の問題に加え、文化や慣習に関する知識の不足が関わっていることが少なくありません。

米原万里《よねはらまり》『不実な美女か　貞淑な醜女《ブス》か』[54]には、異文化間のコミュニケーションにまつわる失敗談や苦労話が数多く登場します。その中には、文字通りの翻訳としては正しいのに、文化の違いによって意図がうまく伝わらないケースも紹介されています。

そのうちの一つに、とあるソ連の音楽家の来日公演での日本人通訳者の失敗談がありま す。[55]その通訳者は、公演を終えて舞台袖《そで》に戻ってくる音楽家に、ロシア語で「お疲れ様でした」（英語の（Are） You tired ～ にあたるロシア語）と声をかけました。すると、音楽家は気分を害してしまったというのです。その理由は、音楽家が通訳者の言葉を「あなたはお疲れになったのですか？（＝今日の演奏がよくなかったのは、あなたが疲れていたからですか？）」と解釈したことにあると推測されています。

日本人の感覚では、「お疲れ様でした」というのは普通の挨拶《あいさつ》言葉で、「私はあなたをねぎらっていますよ」ということを表します。しかしそのような挨拶のない文化圏の人々からすれば、わざわざ「あなたは疲れている」とか「疲れていますか？」と言われることに何か特別な意図を感じてしまうのも無理はありません。ちなみに帰国子女だった米原万里さんご自身も、当初は「お疲れ様」に込められた意図が分からず、そのように言われるたびに「いえ、アタシぜーんぜん疲れてませーん」と答えていたそうです。

こういった問題は、今後もし機械翻訳の精度が劇的に向上し、文字通りの翻訳がほぼ正確にできるようになったとしても残る問題です。むしろ、きわめて精度の高い機械翻訳が誰にでも使えるようになった場合にこそ、他国の文化についての知識不足が問題になるかもしれません。なぜなら、何気なく放った一言が文字通りに翻訳された結果、相手に「悪口」と捉《とら》えられるようなことも起こりかねないからです。

言うまでもないことですが、文化や慣習の違いは、外国との間にだけあるものではありません。同じ国の中でも地方によってさまざまな違いがありますし、世代による差なども一種の「文化の違い」と見ることができます。また、より小さな規模では、個々の団体や家庭も独自の慣習や文化を持っていると言えます。

明治から昭和にかけて激動の時代を生きた女性の人生を描くドラマ『おしん』には、こんなシーンがあります。子供時代のおしんが最初の奉公先で「洗濯をしろ」と命じられ、井戸水を使って洗濯をするのですが、そのときは「洗濯に井戸水を使うな。川で洗え」と言われて川に行かされます。しかし次の奉公先では、「洗濯をしろ」と言われて川で洗濯をしていると、「なぜ川で洗濯をするんだ。井戸水で洗え」と言われてしまいます。

皆さんのご家庭やお勤め先にも、そのメンバーの中でのみ共有されている「ハウスルール」があるのではないでしょうか？　そして、そういったこまごまとした知識が頭に入っていないと、この『おしん』のエピソードのように、家事や仕事におけるコミュニケーションがうまくいかないことがあるはずです。相手の言葉の意図を理解し、コミュニケーションを円滑に進めるには、こういった小規模の「文化」や「慣習」に素早く対応する力も問われます。

機械に使える手がかりは？

機械に意図理解をさせる上では、右記のようなさまざまな手がかりを機械に使えるようにすることが必要です。しかし、それはどれほど可能なのでしょうか？

それを考えるにあたって、第一章のポイントに立ち返ることは重要でしょう。第一章では、コンピュータが「数で表された情報を扱う道具」であることを見ました。コンピュータ上で動くシステムの一種であるＡＩも同様に、数で表された情報を扱います。すでに見たように、文字や単語や画像や音声など、多岐にわたる情報が数で表され、コンピュータやＡＩによって扱われています。これはつまり、数で表すことのできる情報や、数に表れるような性質は、機械にも利用可能だということです。

そういった情報としてはまず、各種のセンサーによって検知することのできる物理的な情報が挙げられるでしょう。つまり、私たち人間で言えば、直接見たり聞いたり触れたりすることで得られる情報にあたります。先に挙げた意図理解に使われる手がかりのうち、アクセントの情報などは音声（の波形）に表れる物理的な情報なので、機械にも利用可能です。

また、第一章で紹介した言語モデルが持っているような「単語の並びが現れる確率」

「ある言葉が別の言葉の近くに現れる確率」といった情報も「数」ですから、機械に扱えます。こういった確率の数値そのものは、常識や文脈に関する知識とは異なります。しかし、常識の一部、たとえばもののカテゴリーに関する知識などは、言葉の並びに反映されることがあります。先ほども見たように、「汚職事件」が出来事であり「お食事券」が物体であるというカテゴリーの違いは、「起こった」という言葉と一緒に現れやすいか、それとも「もらった」などと一緒に現れやすいかという、言葉の共起する確率から推測することが可能です。BERTを利用した高性能なシステムなどの宣伝に「文脈を理解する」といった文句が使われることがありますが、そこで言う文脈とは「ある語の近くにどんな語があるか」などという、言葉の並びに関するものです。

以上のような情報は、機械が意図の推測をする上で使うことができます。しかし、数で表すことのできない情報は、コンピュータやAIで扱うことができません。つまり、目に見えず耳にも聞こえず、いかなるセンサーによっても検知できないような情報は使えませんし、言葉の並びに反映されないような情報も使うことができません。

こういった「見えない要因」はたくさんあり、私たち人間は意図理解をする際にそういった情報を使っています。たとえば、物事の善悪などといった倫理に関する情報や、人間が他人に対して持つ「共感」のようなものは目に見えません。こういった情報はそのままでは機械に学ばせることができないため、機械が人間並みの意図理解をするのはきわめて難しいことと言えるでしょう。

言われたことを実行する

以上で見てきたように、言葉に込められた他人の意図を適切に理解するには、単に言葉についての知識だけでなく、それ以外にも多様な知識が必要です。つまり意図の理解というのは、多様な知識を持った者がそれらの知識を上手に組み合わせた結果、初めてうまくいくものなのです。これだけでも非常に難しいことですが、他人の意図を理解することの先にも、さらに難しい課題があります。それは、「言われたことを適切に実行する」ということです。

私たちがＡＩに対して期待することが、「私たちの言うことを聞いてくれること」や「私たちの指示どおりに動いてくれること」であることは言うまでもありません。しかし、これは人間相手であっても難しいことです。読者の皆さんにも、親や先生や上司から「これをしなさい」と言われたことを、うまくできなかった経験がおありだと思います。しかし、機械にとって「言われたとおりに行動する」ことは、私たちの想像以上に難しいことです。以下では、いったい何がハードルになるかを見ていきましょう。

具体的な行動を選ぶ

言われたとおりに行動することの難しさの一つは、「言葉に表れていること以外にもさまざまなことを考慮しなければ、言われたことを適切に実行できない」という点にあります。

たとえば、「コップに水を入れて」というのは、私たちにはとても具体的で簡単な指示であるように思えます。しかし、いざこれを実行しようとすると、意外な複雑性が絡んできます。

その複雑性の説明に移る前に、これまでの復習も兼ねて、この指示自体にも曖昧性や不明確性があることを押さえておきましょう。「コップ」には、一つのコップなのか、複数のコップなのか、コップであればどれでもいいのか、特定のコップのことなのかなどといった曖昧さがありますし、「水」もペットボトル入りのミネラルウォーターなのか水道水なのか、やかんに入った水なのか曖昧です。「入れる」にしても、どれくらいの量を入れればいいのかという不明確性があります。先に見たとおり、このあたりの曖昧さを解消するには、常識や文脈、話し手についての知識などを考慮しなければなりません。ここでは一応、そのあたりの曖昧さは解消されており、「特定の一個のコップに、水道水を、コップに入る量の3分の2ほど入れる」という指示者の意図が分かっていると仮定します。

指示者の意図がここまで詳細に分かれば、「コップに水を入れて」という指示に従うのは簡単であるように思えるかもしれません。しかし、もしコップが汚れていたり、コップの内側に虫が止まっていたりしたらどうでしょうか。きっとたいていの人は、そのまま水を入れることはせず、コップを洗ったり、コップから虫を追い出したりするでしょう。つまりここで、「コップに水を入れる」という行動とは別の行動が必要になります。

また、コップをつかむときには、コップを落とすほど弱くつかんではいけませんし、逆にコップが割れそうなほど強くつかんでもいけません。水道水をコップに入れるときにも、もし近くに水に濡《ぬ》れてはならないものがある場合は、水が飛び散らないように気をつける必要があります。つまり、コップに水を入れるという行為に伴って、さまざまな「望ましくない結果」が起こらないようにすることも考慮しなければなりません。

このように、「コップに水を入れて」というきわめてシンプルな指示を実行する上でも、ただ言われたことだけをすればいいというわけではなく、それに「付随する仕事」が発生したり、「気をつけるべき点」が出てきたりします。「卵焼きを作れ」とか「洗剤を買ってこい」のようなより複雑な指示の場合には、そういった「付随する仕事」や「気をつけるべき点」が増えるのも想像に難くないでしょう。

人間やＡＩが言われたことをうまく実行できるかどうかは、このような「付随する仕事」や「気をつけるべき点」を適切に発見できるかによります。こういったことを発見するには、先に挙げた常識や文脈についての考慮はもちろん、指示をしてくる人がそもそも何を念頭に置き、何を目的にして指示をしてくるのかを知ることが重要です。「コップに水を入れて」にしても、人間やペットが飲むためなのか、鉢植えの花に水をやるためなのか、何らかの掃除に使うためなのか、お仏壇にお供えするためなのかなどによって、「付随する仕事」や「気をつけるべき点」も変わってきます。

もし、人間や動物が飲むための水であれば、コップの汚れは気にしなければなりません。しかし、鉢植えへの水やりや掃除のためであれば、そこまで気にしなくても良いかもしれません。また、指示をしてくる人が非常に急いでいる場合は、コップを念入りに洗っている時間はないかもしれません。そのときも、コップを洗わないか、急いで洗うか、(指示した人の意図を一部無視して)別のきれいなコップを使うか、(指示した人が急いでいるのを無視して)自分の気のすむまでじっくり洗うかといった、さまざまな選択肢が出てきます。

いずれにしても、私たちが他人の指示に従って何かを行う際には、実はこういった膨大な判断が関わっています。そういった判断は、指示をしてきた人や自分が何を優先すべきと考えているか、何に気をつけるべきと考えているかに基づいてなされる必要がありますが、私たち人間はそういった判断をたいてい瞬時に行っているようです。

フレーム問題

しかしながら、何に気をつけるべきか、また何に気をつけなくて良いかということについての私たちの判断がつねに正しいとは限りません。とくに相手との間に価値観の違いなどがある場合は、相手の言ったとおりにしたつもりでも、相手からはそう思われないことがあるでしょう。たとえあなたが「水を早く持っていくことよりも、コップがきれいなことが重要だ」と思っていたとしても、相手の方は「コップがきれいなことよりも、水を早く持ってきてもらうことが重要だ」と思っているかもしれません。そんなとき、時間をかけてコップの汚れを洗っていたら、相手は不本意だと感じるでしょう。（もちろん、そういう場合にあなたが「指示どおりに行動できなかった、失敗した」と思うか、それとも「言われたとおりにコップに水を入れて持ってきてやったんだから、ありがたく思え」と思うかは自由です。）

こういったケースは多くの人が経験していることと思います。実はＡＩにとっても、「何かを行う際に、何に気をつけて、何に気をつけなくて良いか」という判断が難しいことが指摘されています。「フレーム問題」と呼ばれるこの問題は、１９６９年にジョン・マッカーシーとパトリック・Ｊ・ヘイズによって指摘されたものですが、[56]その後、哲学者ダニエル・デネットが分かりやすい寓話《ぐうわ》で例示しています。[57]以下ではその寓話を、やや簡略化して述べてみましょう。

自分で目的を持って動くことができ、周囲の状況を認識することができる、かしこいロボットがいるとします。そのロボットは、とある部屋に自分用のバッテリーを取りに行きました。バッテリーの上には時限爆弾が置いてあります。ロボットは、バッテリーの上に時限爆弾があることを認識していましたが、そのままバッテリーを持ち出すと爆弾が爆発することには気がつきませんでした。ロボットはバッテリーを持ち出し、爆弾は爆発し、ロボットも壊れてしまいました。

ロボット開発者たちは、この事件を深刻に受け止めました。検討の結果、自分の目的とする行為を行うだけでなく、その行為に伴ってどんなことが起きるかまで予測できるよう、ロボットを改良しました。その「かしこいロボット2号」もまた、自分のバッテリーを取りに行き、バッテリーの上に爆弾が置いてあることを認識しました。そのロボットは、「もし自分がバッテリーを動かしたら、何が起こるか」を予測し始めます。ロボットはまず、「もし自分がバッテリーを動かしたら、壁の色は変わるだろうか」と考え、「壁の色は変わらない」と結論づけます。さらに「床は傷つくだろうか」「埃《ほこり》は舞うだろうか」「窓は開くだろうか」などといったことを、その場で延々と考え続けます。結局、ロボットが「もし自分がバッテリーを動かしたら、爆弾が爆発するだろうか」と考え始める前にタイムリミットが来てしまい、爆弾の爆発によってロボットは壊れてしまいました。

この問題に頭を悩ませた開発者たちは、さらにロボットを改良しました。今度の「かしこいロボット3号」は、自分がしようとしていることに伴ってどんなことが起きるかを予測できるだけでなく、それが無視していいものかどうかまで判断することができます。そのロボットもバッテリーを取りに行き、上に爆弾が置いてあることに気づきます。そのロボットは、「もし自分がバッテリーを動かしたら、何が起こるか」を考え、「壁の色は変わらないが、このことは無視していいだろうか？」「床は傷つくが、このことは無視していいだろうか？」「埃は舞うが、このことは無視していいだろうか？」などといったことを、延々と考え続けます。そうやってさまざまなことについて「無視していいかどうか」を考え続けているうちに、また爆弾が爆発してしまいました。

この寓話は、ＡＩにとって「無視すべきことを適切に無視する」ことがいかに難しいかを物語ったものです。一応お断りしておくと、フレーム問題が指摘された当時のＡＩは、「こういうときはこのような計算に従ってこういう判断をする」という「人間が書いた規則」によって動くものでした。ニューラルネットワークのアイデア自体はありましたが、今のような「多層で大規模なネットワーク」を実現する基盤はありませんでしたし、実現できるとも思われていませんでした。よって、このお話に出てくるロボットは「自分がこうしたら、こうなる」「自分がこうしたらこうなるけど、それは無視していい（／無視すべきではない）」ということを、規則に従って逐一計算します。

このロボットの「考え方」はとても論理的ですが、そのせいで判断を素早く下すことができていません。どうやら、規則に従った論理的な計算だけでは「気にするべきことを気にして、気にしなくていいことは気にしない」という判断が適切にできなそうだ、というのがこの問題の主旨です。[58]

第一章で見たとおり、機械学習に基づく今のＡＩは、人間が書いた規則に従っているわけではありません。むしろ、「こういう入力に対して、こういう出力を出すのが正解だ」という事例をたくさん与えられることで、正しい振る舞い方を割り出します。その中ではある程度、「無視してはならないことは無視せず、無視していいことは無視する」ということができていると言えなくもありません。実際に音声認識などでは、人による声質の違いや、「みんなでのんびりけんこうに」の三つの「ん」の発音上の違いなどを「適切に無視する」ということが達成されています。

こういったことから、「機械学習（あるいはニューラルネットワーク）のおかげで、フレーム問題が解決した」と言う人もいます。しかし私個人は、本当にそうなのかは疑わしいと思っています。というのも、先に述べたように、「何を無視して、何を無視するべきではないか」を決定する手がかりの中には、目に見えず、聞くことも触れることもできないものが存在するからです。

すでに見たように、他人に言われたことを適切に行うには、その場で目に見える状況だけでなく、相手が何を目的とし、どういう状況を望ましいと思っており、逆にどういう状況を避けたいと思っているかを考慮しなければならない場合があります。そこには、相手についての知識や一般常識や文化的背景など、目に見えない要因もたくさんあります。その中でもとくに、相手に対するある程度の「共感」は重要になるでしょう。私たちは言葉には表れないさまざまな要素を、「自分が相手の立場だったら、たぶんこう思うだろう」と予測して補うからです。先に述べたように、こういった「見えない要因」を機械に学ばせるのは難しいことです[59]。

また、試験やゲーム、スポーツのような場合を除き、私たちの行動には明確な正解がない場合が多々あります。人間の行動をＡＩに学習させる場合は、何をもって「その行動は正解（あるいは不正解）だった」とするかを考えなくてはなりませんし、またそうやって開発されたＡＩの行動が私たちにとって本当に信頼できるものかどうかを評価する仕組みが必要です。

つまり重要なのは、私たち人間が他人の言葉の意図を探るときも、他人の言葉に従って行動するときも、「言葉に関する知識さえあればいい」というものではなく、また「見たり聞いたり触れたりできる情報があればいい」というものでもない、ということです。私たち人間は、目に見えない情報も含め、多種多様な情報を利用して言葉を理解して、行動しているのです。

第三章でも見たように、「言葉に関する知識とそれ以外の多様な知識を組み合わせる」ということは、子供が母語を習得する際にも重要でした。多種多様な知識を適切に駆使しながら言葉を使うということは、人間にとっては基本的な能力なのかもしれません。

52　https://www.kanken.or.jp/kanken/trivia/category06/16060106.html

53 Grice, H. P.（1975）"Logic and conversation," P. Cole and J. Morgan（eds.）*Syntax and Semantics*, Vol.3, Academic Press.
日本語訳は以下の通りです。

ポール・グライス（著）、清塚邦彦（訳）（１９９８）『論理と会話』、勁草書房。

54 米原万里（１９９８）『不実な美女か　貞淑な醜女か』、新潮文庫。

55 米原が引用している、このエピソードの出典は次の通りです。
徳永晴美（１９７９）「通訳者のフィールド・ノート」、『現代ロシア語』１９７９年10月号。

56 McCarthy, J. and Hayes, P. J.（1969）"Some philosophical problems from the standpoint of artificial intelligence," in Meltzer, B. and Michie, D.（eds.）*Machine Intelligence* 4, 463-502, Edinburgh University Press.
以下に日本語訳があります。

ジョン・マッカーシー、パトリック・J・ヘイズ、松原仁（著）、三浦謙（訳）（１９９０）『人工知能になぜ哲学が必要か　フレーム問題の発端と展開』、哲学書房。

57 Dennett, D. C.（1984）"Cognitive wheels: The frame problem of AI," in Christopher Hookway（ed.）*Minds, Machines and Evolution: Philosophical Studies*, 129-150, Cambridge University Press.
日本語訳は以下の通りです。

ダニエル・デネット（著）、信原幸弘（訳）（１９８７）「コグニティヴ・ホイール——人工知能におけるフレーム問題」、『現代思想』15巻5号、128-150.

58　実際は、フレーム問題には明確な定義がなく、これがどういった問題なのかについてはさまざまな解釈があります。ここではとりあえず、このように考えることにします。

59　また、人間が行動をする際に無視すべきことを適切に無視できる理由を感情の動き（情動）に求める考え方もあります。くわしくは、柴田正良（2001）『ロボットの心』（講談社現代新書）の第六章、および信原幸弘（2017）「フレーム問題と情動」（信原幸弘（編）『心の哲学新時代の心の科学をめぐる哲学の問い』、新曜社）等をお読みください。

第五章　機械の言葉とどう向き合うか

ここまでの話で、「少なくともこれからまだしばらくは、機械が人間と同じように言葉を理解できるようになるのは難しい」ということを示してきました。ただし、このことに納得される方、納得されない方など、さまざまでしょう。納得されない方の多くは、「機械の中身がどうなっているかはとりあえず置いておいて、とにかく機械が人間とほとんど同じように言葉を使っているように見えれば、その機械は言葉を理解していると言っていいのではないか」と思っていらっしゃるのではないかと想像します。片や、機械と人間が「内部で言葉をどう理解しているか」を考慮せずに、外見だけで判断するべきではないと考える方も大勢いらっしゃるでしょう。

こういった立場の違いは、今後、私たちが機械の言葉とどう付き合っていくかを考える上で無視することはできません。私自身の立場は先ほど述べたとおりですが、今すでに機械の発する言葉を見て「AIが人間と同じように言葉を理解するようになった」と考える人もいます。今後も、機械の発する言葉はますます人間に近くなってくるでしょう。もしかすると、数ヶ月後から数年後といったきわめて近い未来に、自然な言葉を話す機械が出てくるかもしれません。その場合、おそらく多くの方が「機械が言葉を理解している」と思うのではないでしょうか。この本を読んで「人間の言語理解をＡＩで再現するのは難しいんだな」とひとまず納得された方も、数年経ってドラえもんや鉄腕アトムのように言葉を操るロボットが出てきたら、「やっぱりＡＩは言葉を理解している！」という方に鞍替《くらが》えすると思います。また、もしそのようなロボットが「人類を滅ぼす」などと言ったら、今以上に大きな反応が起こるはずです。

問題は、私たちの多くがそのように考えることが、社会にどのような影響を及ぼすかということです。「別に、私個人が『ＡＩは言葉を分かっているんだなあ』と思うぐらい、何の問題もないでしょ」と思われるかもしれませんが、私たちの「ものの見方」は間違いなく、私たちの行動に反映され、社会や経済に影響をもたらします。とくにＡＩのように、その発達の度合いが私たちの生活に深く関わってくるものについては、私たち一人一人がどのように考えるかを軽視すべきではないでしょう。

実のところ、私たちが機械の言葉をどう見るかというのは、「そもそも言葉をどのようなものだと考えているか」に大きく依存します。この章では、これまでの話を踏まえ、私たちが人間や機械の言葉を眺める際にどのような立場があり得るかをお話ししたいと思います。とくに、機械の言語理解について今までにどのような議論がなされてきたか、また人々が「機械が言葉を理解できる（ようになる）」と言う場合の真意は何かといったことなどについて考察します。

チューリング・テスト

先ほど、「機械の中身がどうなっているかはとりあえず置いておいて、とにかく機械が人間とほとんど同じように言葉を使っているように見えれば、その機械は言葉を理解していると言っていいのではないか」という考え方に触れました。これは、機械が言葉を理解できているかどうかを、その「知的な振る舞い」が人間にどれほど近いかによって判断するという考え方です。この考え方は、ＡＩ研究の黎明期《れいめいき》にイギリスの数学者アラン・チューリングによって提唱されたものです。

チューリングは偉大な業績を持つ天才で、第二次世界大戦ではナチス・ドイツの暗号を解読する機械を作ったことでも知られています（その経緯は、『イミテーション・ゲーム』という映画にもなっています）。彼は１９５０年代の初め頃、「どうすれば機械が知性を持っているかどうかを判断できるか」という問題に取り組み、「チューリング・テスト」という方法を提唱しました。[60] これは、具体的には次のようなものです。

①二つの部屋を用意し、片方に人間（判定者）を置き、もう片方に別の人間と機械（＝AI）を置く。
②判定者は、別の部屋にいる人間および機械と、文字で会話をする。
③もし判定者が、自分が会話している相手が人間なのか機械なのかを区別できなければ、その機械は知性を持っていると見なす。

この手順から明らかなように、機械が知性を持っているかどうかを判断する基準は、「機械の振る舞い（言動）が、人間の振る舞いと区別できるかどうか」です。つまり判定者は機械の中身を見ることなく、その言動のみを通して知性を持っているかどうかを判断するわけです。

「天才数学者ともあろう人が、こんないい加減なテストで本当にいいと思っていたのだろうか？」と疑わしく思う方もいらっしゃるでしょう。しかし、このテストはなかなか強力で、簡単には反論しづらいのです。なぜかというと、このテストの根底には、「たとえ人間どうしであっても、他者に知性があるかどうかをその内面から判断することはできない」という事実があるからです。

私たち人間は普通、他人にも自分と同じような知性があると考えています。もちろん、人によって知識の豊富さや試験の成績はまちまちです。それでも私たちは、たいていの他人は自分と同じように物事を認識し、理解していると考えます。ただしその際、私たちは「他人の頭の中を覗《のぞ》き込んだ結果として」そう考えているわけではありません。実のところ、他人の知性は「外から見た振る舞い」からしか判断することはできません。

もし「外から見た振る舞いだけで知性の有無を判断してはいけない」としたら、どうなるでしょうか。言うまでもなく、自分以外のすべての人間の知性も認められないということになります。つまり、自分は知性を持っているけれども、自分以外のすべての人間は知性を持っているように見えるだけで、本当は知性のないゾンビのような存在かもしれないということになってしまいます。

このような結論は、かなり受け入れがたいものです。世の中には、「どこがおかしいの？　私は、自分以外の人間はみんなゾンビだと思っているよ」と言う変わった人もいるでしょうが、そういう人であっても、普段の生活では他人に知性があることを前提に行動しているはずです。実際、他人に知性があるかどうかをいちいち疑っていては、まともな日常生活は送れないでしょう。

チューリング・テストは、そういった「他者に知性があるかどうかは、その振る舞いを外から見て判断するしかない」という考え方を、機械にも広げたものです。

チューリング・テストには多くの反論もありますが、強力な議論であることには間違いありません。実のところ、今のＡＩに対する評価も、その「振る舞い」に基づいています。チューリング・テストにおいては、会話という振る舞いの自然さが知性の有無の判断基準でしたが、今のＡＩの評価の基準であるさまざまな課題も、そういった「振る舞い」に含まれるでしょう。

第一章で見たように、言葉を扱うＡＩは質問応答（質問に答える課題）、機械翻訳、対話などといったさまざまな課題（タスク）に応用されています。そして、そういった課題ごとに、スコアの高さを競い合うコンテストのようなもの（専門用語でシェアドタスクと言います）が開催されています。ＡＩ研究者たちの多くは、そういったコンテストでのスコアを研究成果の評価に使っています。近年、そういったコンテストの成果はＡＩ研究者たちの間だけでなく、一般の人々にも知られるようになりました。課題によっては、人間が解いた場合よりもＡＩのスコアの方が高くなることもあり、「ＡＩが人間を超えた」などと報じられたりします。

質問に対する賢い受け答え、試験での高成績、将棋や囲碁などといった知的なゲームで見せる強さなどは、分かりやすい「賢さ」です。ＡＩがそういった課題で高い精度を叩《たた》き出すようになった今、私たちがそれを「知性」あるいは「言語を理解する能力」と同一視するのは、ある意味で自然だと言えます。

人間っぽい言動＝言語理解？

しかし、チューリング・テストのように「外から見た振る舞いが人間に近いかどうか」を知性や言語理解の規準とする考え方には、やはり問題があります。一つは、対話などにおいては人間っぽさを「演出できる」という点です。

対話をする機械には、非常にシンプルな仕様であるにもかかわらず、設定次第で人間っぽく見えるものがあります。たとえば、１９６６年に開発されたＥＬＩＺＡ《イライザ》という「会話プログラム」は、人間がキーボードで打ち込んだ「問いかけ」に対し、パターンマッチで返答するものでした。[61] パターンマッチというのは、たとえばの話ですが、人間側の問いかけが「○○が痛い」というパターンのものであったら、○○が何であるかに関係なく「どんなふうに痛いんですか？」といった返答をするものです。こういうプログラムですから、オウム返しのような返答も多かったと言われています。

しかし、中身が非常に簡単なプログラムであったにもかかわらず、ＥＬＩＺＡの「精神療法セラピスト」という設定のプログラムは、一部の人から「人間に違いない」と誤解されることがあったといいます。というのも、ＥＬＩＺＡの反応が、人間のセラピストの「マニュアルどおりの事務的な反応」と似ていたからです。

このように、対話をするＡＩに「キャラクター付け」をすることは、ＡＩの言動を人間っぽく見せる手段の一つです。もしＡＩに「四歳ぐらいの子供」というキャラクター付けをすれば、ＡＩが脈絡のない質問ばかりしてきてもおかしいと思いませんし、自己中心的で傲慢《ごうまん》なキャラクターだということにすれば、ＡＩがこちらの言うことを理解せずに勝手に会話を進めるのもある程度は自然に見えます。つまり、ＡＩが人の問いかけをうまく処理できなかったり、出力される返答が人間から見ておかしなものであったりしても、キャラクター付けによってある程度不自然さをカバーすることができるのです。
また、私たちの中に「人間っぽさ」や「機械っぽさ」に対する先入観があることも、「人間に近い言動=言語理解」と見る上での問題となります。チューリング・テストを競技として行っている「ローブナー賞」では、人間がしがちな間違いをうまく真似した機械が「人間っぽい」と判断されたり、逆に明快な論理で的確な返答をした人間の方が「機械っぽい」と判断されたりしたという事例があります。[62]
これらの例から分かることは、「振る舞いが人間に近いかどうか」ということが必ずしも確固たる基準ではなく、キャラクター付けやイメージに左右されてしまう場合があるということです。こういったものを「知性があるか」とか「言葉を理解しているか」といったことの判断に使うのには、それなりのリスクがあるということを知っておく必要があるでしょう。
先ほども言ったとおり、私たちは他人の行動を見て「知性がある」と判断します。しかし、人間の知的な行動も、必ずしも知性の表れであるとは限りません。誰かが表面的に賢そうに見える行動をとったからといって、その人が本当に賢いとは限りませんし、逆に本当に賢い人がいつも賢そうな行動をとれるとも限りません。つまり、知的に見える行動そのものは、知性を持っていることの必要条件でも十分条件でもありません。

今のＡＩの中身がブラックボックスである以上、ＡＩの性能を確かめるには、その「振る舞い」で評価していくしかありません。ＡＩの行動が人間から見て自然か、また正解を多く叩き出すかといったテストを重ねていくことは、ＡＩを実生活に応用するために非常に重要なことです。しかし、そういったテストで高度な振る舞いができることを、「知性」や「言語理解」と安易に結びつけられないということも押さえておく必要があります。

「これができるんだから、あれも」は成り立つ？

ＡＩが将棋や囲碁で人間のプロに勝ったり、クイズショーで人間のクイズ王を破って優勝したり、大学入試問題で人間の受験生の平均を上回る得点を出したりするたびに[63]、「ＡＩが人間を超えた」などと言われます。実際、ＡＩがそれらの課題で人間に勝つのは驚くべきことです。しかし気になるのは、「将棋や囲碁で人間に勝ったから、そのＡＩは人間より優秀だ」「クイズや入試問題で人間のスコアを超えたから、そのＡＩはそこら辺の人間よりも高い言語理解能力を持っている」というふうに、ＡＩが一つの課題で高いスコアを収めたことを他のあらゆる課題にまで広げるかのような論調が少なくないことです。

第一章の繰り返しになりますが、ＡＩが一つの課題で「人間と同等か、あるいは人間よりも優秀なスコア」を出せたからと言って、同じＡＩが他の課題でも同様の振る舞いを見せられるとは限りません。「ウィリアム・テルが弓で射た果実は何？」という質問に正しく「りんご」と答えられるＡＩが、りんごの画像をみかんの画像と見分けられるとは限りません。同様に、囲碁でプロに勝つＡＩが将棋を指せるとは限りませんし、また「あなたがやっているゲームの名前は？」と聞いたところで「囲碁です」と答えられる保証もありません。たとえ人間にとっては似たような仕事であっても、ＡＩにとっては完全に別ものである場合が少なくないのです。よって、人間から見て高度に知的な課題をこなすＡＩに対して、単純に「これができるんだから、あれもできるはず」と考えることはできないわけです。

「だったら、将棋とか囲碁とかクイズとか翻訳とか会話とか画像認識とか自動運転とか、それぞれの課題で高いスコアを出せるＡＩを作って、それらを全部一つのロボットに搭載したらいいんじゃないか」と思う人もいらっしゃるでしょう。そういうロボットを作ってうまく動かすには、さまざまな状況で今すべき課題をどうやって見分けるかが焦点になりそうです。そして、もしそこをクリアできれば、かなり役に立つ機械ができるかもしれません。

しかし、そういう「欲しい機能全部載せ」をした機械が人間と同じ知性を持っているかというと、なかなかそうは言いづらいと思います。そのようなＡＩを「人間と同じ」と認めるということは、「人間というのは、瞬間瞬間に課題を切り替える機械のようなものだ」という考え方を受け入れることになります。確かに、私たちの実感として、そういう考え方が多少しっくりくることは否定できません。どなたでも、普段の生活で「今は職場にいるから仕事モードだけど、家に帰れば子供がいるので子育てモードになる」といった「切り替えの感覚」を経験されていると思います。

ただ、私たち人間は、目の前の課題ごとに何もかもを切り替えているわけではありません。むしろ、ある課題で使う知識や能力を別の課題にも活《い》かしています。たとえば、将棋のプロ棋士がチェスや麻雀《マージャン》でチャンピオンになる例がありますが、その際に将棋で培った「読み」の能力を応用していることは間違いありません。こういったことは、「それぞれの課題で高いスコアを出す機能を全部搭載していること」とは異なります。そういった機械では必ずしも、一つの課題を行うときのやり方を、別の課題を行うときに応用できるわけではないからです。

機械的に脳を作ればいい？

ここまで来たら、「ああ面倒くさい！　もう、機械で脳をまるごと作っちゃいなよ。それができれば、言葉を理解できる機械が完成するはずだよ！」と言いたくなる人も多いのではないでしょうか。

先に見たように、今のＡＩ開発に使われるニューラルネットワークは神経細胞の働きをモデルとしています。人間の脳も神経細胞によってできていますから、ニューラルネットワークを用いて人間の脳の働きを機械的に再現しようと考えるのは自然なことでしょう。

実際、そのような考えにのっとって、私たちの脳の働きをコンピュータ上でシミュレーションする研究や、さまざまな課題をこなすことのできるＡＩ（汎用《はんよう》人工知能）を作ろうとする研究が進められています。とくに、人間の脳の各部分を機械的に作ってみて、それがどのような働きをするかを調べることは、人間の脳そのものの働きを詳細に観察できない現在、とても重要な研究方法となっています。

私自身、人間の脳の働きを機械で再現する研究には大きな期待を寄せていますし、そのような研究が発展しないかぎり、「人間と同じように言葉を理解する機械」は実現できないだろうと考えています。ただしその際には、脳の働きに関する研究と、人間の言語のさまざまな性質に関する研究の両方が進んでいく必要があると思っています。第三章でも述べたように、人間の脳に生まれつき「言葉を習得するための作り込み」があるのか、それともそんなものはないのかといった論争もあります。こういった問題に明確な答えが出なければ、人間の言語と脳との関係を完全に解明することはできないでしょう。

では、言語能力を司《つかさど》る部位を含め、人間の脳の仕組みが完全に解明され、また人間の脳とまったく同じ働きをする機械が作れたとしたら、その機械は私たちと同じように言葉を理解していると言っていいのでしょうか？　もちろん、脳だけでは外の世界のことを認識できないので、人間の目や耳や、その他の感覚器官にあたるセンサーをつける必要があるでしょう。また、人とコミュニケーションをするためには、声を出したりする部分も必要です。そんなふうに「脳＋感覚器官＋発声器官」があれば十分でしょうか？

私を含め、多くの人にとって気になるのは、意識、感情、意志や欲求、倫理性、社会性などではないかと思います。まず、いくら機械に脳があっても意識が宿っていなければ、機械が何らかの言葉を発したとしても、それが私たち人間と同じように言葉を発しているとは言えないように思います。渡辺《わたなべ》正峰《まさたか》『脳の意識 機械の意識』[64]によれば、機械に意識を宿らせることは難しい問題であるものの、原理的には可能であるとする立場があるそうです。ただし問題は、機械に意識が宿ったかどうかを判断する客観的なテストが存在しないということです。この問題に対し、渡辺は「人間の主観を用いたテスト」、つまり人間の脳の半球を機械の半球に接続し、人間の意識によって機械の意識を見極めるテストを提案しています。そういったテストの実現には多くの難題があるようですが、何らかの機械について「人間と同じように言葉を理解している」と言うには、そのようなテストも当然クリアしなければならないでしょう。

意識と切り離して論じることがどれほど適切か分かりませんが、感情や意志や欲求についても同じ疑問が湧いてきます。それらを持たない機械が「私は悲しい」とか「人類を滅ぼしたい」などと言ったとしても、どれほど真に受けていいか疑問です。もちろん、それらを口にする機械がそういった感情や欲求を体験しておらず、単に自分がそのように言うことで人間に何らかの反応をさせようとしているだけである可能性もあります。しかしその場合でも、「人間に反応をさせよう」という意志自体はあることになります。

言うまでもなく、私たちの持つ感情や意志や欲求などといったものは、死の危険を避けて生き延びようとする「生き物としての本能」に根ざしています。本書でもたびたび「無視すべきことと、無視してはならないことの区別」が機械にとって難しいことを見てきましたが、私たちにそれができるのは、生き延びるために重要なこととそうでないことを識別する能力があるからです。生物ではない機械にどうすれば同じ能力を持たせられるか、またどうすればその可否を確かめられるかを解明するのは、簡単なことではなさそうです。

また、それらの条件をクリアした場合にも、人間と同じように言葉を理解・使用するにはまだハードルがあります。第四章で見てきたように、人間の言語理解には、言葉についての知識以外にも多様な知識が関わっています。他人の意図を理解したり、行動を適切に選んだりするには、そういった知識を適切に統合できる必要があります。

そこにはおそらく、倫理性や社会性などといった要素も必要になってくるでしょう。たとえば機械が「私は明日、あなたを美術館へ連れて行くことをお約束します」と言った場合、それが本当に「約束」になるには、その機械が約束とは何かを理解していることに加えて、機械が社会的な責任を持ち、その責任に反するような行いをしたら罰せられるような状況があり、なおかつそのことが機械の行動を左右するような仕組みが必要になると思います。

機械が本当の意味で「人間と同じように言葉を理解している」と言えるようになるのは、これらのことがすべて達成された後の、かなり先のことになるのではないでしょうか？

「言葉の理解」をどう捉えるか

最後に、「言葉を理解する」ことをどう捉《とら》えるかについて考えてみましょう。ここまで読んでくださった皆様の中には、「別に人間と同じような『言葉の理解の仕方』でなくても、機械なりの『理解の仕方』というものがあってもいいんじゃないの？　別に、人間と同じであることを追求しなくてもいいんじゃない？」と思っている方もいらっしゃると思います。もちろん、それも一つの考え方です。

しかし、私たちが「必ずしも人間と同じ仕方でなくても、機械が言葉を理解することはあり得る」と言いたくなるとき、それによって私たちが「本当に主張したいこと」は何でしょうか？　私は、それは「この機械は人間と同じように言葉を理解しているわけではないが、十分に実用的だ」とか、「この機械の言葉の扱い方は十分に信頼できる」などといったことではないかと思います。つまり、「機械が言葉を理解している」という表現を、以下の①の意味ではなく、②の意味で使いたい、ということだと思うのです。

① 機械が私たち人間と完全に同じ仕方で言葉を理解している。
② 機械による言葉の扱いが、実用的な面から見て十分に信頼できる。

①については、これまでお話ししてきたように、私はすぐには実現できないと思っています。しかし、もし今後のＡＩ研究の発展によって②を達成するような機械が出てきたら、②の意味で「この機械は言葉を理解している」と言いたくなるかもしれません。そのように言えば、その機械の宣伝には非常に効果的でしょう。また、ＡＩ技術の進展によって早く幸せな社会が来て欲しいと願ってやまない人々にとっては、①よりもむしろ②の方が重要であるはずです。

ただし、気をつけなくてはならないのは、「この機械は言葉を理解している」という言葉を聞いた多くの人々が、はたしてそれをきちんと②の意味で解釈するだろうか、ということです。

「理解する」という言葉は、つきつめて考えると非常にあやふやではあるものの、私たち人間にとってはかなり強い実感を伴って受け止められる言葉です。誰かが「この機械は言葉を理解している」と言うのを聞いた場合、誰でも最初に思い浮かべるのは①の「人間と同じ理解」の方でしょう。

問題は、②のつもりで言った言葉が①の意味で受け止められることで、何か不都合が生じないかということです。①か②かをはっきりさせないまま「機械による言語理解の達成」が喧伝《けんでん》されることは、過剰な期待や恐怖を煽《あお》るでしょうし、もし技術の面で実体が伴っていなければ、AI研究に対する失望や過小評価にもつながります。これは、過去のAI研究の歴史においてたびたび繰り返されたことでもあります。

また、AIに関わる政策の決定などにおいて、AI研究の現状を深く考慮せずに「AIはすでに言葉を理解できるようになったので、それを踏まえてこういう計画を立てよう」とか、「AIは○年後には言葉を理解できるようになるので、こういう政策を立ててもいいはずだ」などと判断するのは、きわめて危険なことではないでしょうか？

こういった誤解による弊害を避けるためにも、実用的に問題がないレベルの言語理解とはどういうものか、その定義を明確にしておくことは大切かもしれません。そして何よりも、ＡＩに対して多方面からの研究が進み、多くの人々に対して正確な情報がもたらされる必要があるでしょう。

機械の言葉を通して、ヒトの言葉を見つめ直す

以上、本書では人間の言葉と機械の言葉をいくつかの側面から眺めてきました。その中で、今のＡＩによる言葉の扱い方が私たち人間のそれとは異なること、なおかつ人間の言葉にはまだ解明しきれていない謎があることなどを見てきました。私たちは普段、自分は言葉の意味を分かっていて、他人ともおおよそうまくコミュニケーションできていると思いながら生活しています。しかし、いざ「言葉の意味とは何か」と問われるとうまく答えられませんし、また「自分は他人とコミュニケーションできている」という実感も、意図理解を難しくするさまざまな要因を考えると、実はあまり頼りにならないということが分かります。

しかし、謎が多くてよく分からないからといって、「いい加減に考えていい」ということにはなりません。世の中には「人間だって、たいして理解もせずに言葉を使っていると

いう点では機械と変わらない。だから、今のＡＩはすでに人間と同じように言葉を理解しているのだ！」などと極端なことを言う人もいますが、本書を最後までお読みくださり、中身にある程度納得してくださった方には、現実はそう単純ではないことをご理解いただけたと思います。重要なのは、「言葉の意味」や「コミュニケーション」といった言葉があやふやであることに対して投げやりな態度をとることではなく、そういった言葉の奥にある「見えにくい本質」をつかもうとすることです。

人間の言葉の本質を探る上で、機械の言葉との比較が良いきっかけの一つになることは間違いありません。そういった意味で、今は人間の言葉に対する理解が進む大きなチャンスなのかもしれません。しかし、よくよく気をつけていなければ、私たちが機械の言葉にあっさり幻惑されてしまうことも確かです。本書では、機械の言葉の「魔法」に惑わされずに、私たち人間の言葉を見つめ直すためのヒントを提供してきたつもりです。本書の内容の中に、皆さんの言葉やコミュニケーションにとって少しでもプラスになることがあれば幸いです。

60 Turing, A. M.（1950）"Computing machinery and intelligence," *Mind*, Vol. 59, Issue 236, 433-460.
次の書籍に、この論文の日本語訳と解説があります。

伊藤和行（編）、佐野勝彦、杉本舞（訳・解説）（２０１４）『チューリング：コンピュータ理論の起源　第1巻』、近代科学社。
61 Weizenbaum, J.（1966）"ELIZA—A computer program for the study of natural language communication between man and machine," *Communications of the Association for Computing Machinery*, Vol. 9, No. 1, 36-45.
62 柴田正良（２００１）『ロボットの心』（講談社現代新書）の第二章にくわしい記述があります。
63 新井紀子、東中竜一郎（編）（２０１８）『人工知能プロジェクト「ロボットは東大に入れるか」　第三次ＡＩブームの到達点と限界』、東京大学出版会。
64 渡辺正峰（２０１７）『脳の意識　機械の意識』、中公新書。

おわりに

ＡＩに関する本を出すのは、２０１７年に『働きたくないイタチと言葉がわかるロボット　人工知能から考える「人と言葉」』（朝日出版社）、『自動人形《オートマトン》の城　人工知能の意図理解をめぐる物語』（東京大学出版会）を出して以来、三冊目となります。正直に言うと、先の二冊を出した時点で、もうＡＩについて私が書く必要はないのではないかと思っていました。

というのも、先の二冊で「人間の言葉は難しい」「人と同じように言葉が分かる機械を実現するのは簡単ではない」ことは十分に言ったと思ったからです。しかも私自身はすでにフルタイムの研究者をやめており、今はＡＩの研究にもお手伝い程度にしか関わっていません。ＡＩの分野は進展のスピードが速く、持てる時間のかなりの部分を割かなければ研究の流れをきちんと追っていくことができません。私はもともとＡＩの専門家ではありませんし、流行《はや》りについていくこと自体も苦手なので、「もういいかな」と思っていたわけです。

　こういう事情もあり、KADOKAWAの間孝博さんから「言葉とAIに関する新書を」というお話をいただいた当初は、お引き受けするかどうかかなり迷いました。しかし間さんとやり取りする中で「『働きたくないイタチ～』の冒頭に『意味とは何かがまだ分かっていない』と書いてありましたが、それはいったいどういうことですか？」というご質問をいただき、それについて今までくわしく書いていなかったこと、そしてそれが多くの方々に興味を持っていただけるトピックであることに気がつきました。

　また、先の二冊はどちらも物語形式でしたが、出版後「物語だと読めない」というご意見をたまにいただいていました。そういったことも思い出し、改めて新書形式の本を出す意義があるのではないかと考えました。実際に書き始めてみると、意味の他にも文法や言語習得など、ヒトと機械の言葉を考えるにあたってより広く知っていただきたいトピックが多く出てきましたので、それらについて前の二冊よりもさらに平易な「超入門」を書けたのは良かったと思っています（なお、『働きたくないイタチと言葉がわかるロボット』は言葉を扱うAIの開発に関する基本的な考え方とその難しさを動物たちの出てくる寓話《ぐうわ》とともに紹介したもので、『自動人形の城』は人と人、人と機械のコミュニケーションをテーマにした中世ヨーロッパ風のファンタジーです。よろしければ、これらもお手にとってみていただけると幸いです）。

今回、流行りの分野について書くことの厳しさを改めて思い知らされたことも事実です。というのも、本文がおおよそ完成した後になって、言語モデルＧＰＴ‐３が話題になっていることを知ったのです。急遽《きゅうきょ》、本文にＧＰＴ‐３の説明を入れることにしたのですが、全体の整合性を取る作業が終わったのは入稿間際のことでした。この本にせよ前の二冊にせよ、最先端の技術を紹介することが主旨ではありません。しかしそれでも、できる限り「今」を反映した内容にしたいと努めました。また、非常に強力な最新のモデルを取り上げたことで、私自身も改めて「これとヒトの言葉との違いは何だろうか？」と考える機会を持つことができました。

この本を書くにあたって、担当編集者の間さんには企画段階からさまざまなアイデアを出していただき、本の意義を明確にし内容の伝え方を工夫していく上で大いに参考にさせていただきました。間さんの温かい励ましにより、昨今の感染症の流行で気が滅《め》入《い》りそうになっているところを何度も助けていただきました。心より御礼申し上げます。

また、本書は本文の完成後、慶應義塾大学の峯島宏次《みねしまこうじ》先生に査読をしていただきました。

言語哲学がご専門であり、なおかつ言葉を扱うＡＩについても世界的な業績をお持ちである峯島先生にご校閲いただけたことは、本書を読者の皆さんのお手元へ送り出す上で大きな自信となりました。

なお、本文に含まれる誤りや不備はすべて筆者の責任であることをお断りしておきます。

この本が出た後も新しい技術が次々に出て、私たちを驚かせることと思います。おそらく今後もメディアで大々的に報道されるのは「機械の言葉」の方でしょうが、ヒトの言葉を扱う言語学や言語哲学の成果もそれなりに知られなければバランスが悪いような気がします。そもそも、人間の言葉の複雑さや難しさが分からなければ、機械の言葉を正当に評価することはできないでしょう。ヒトの言葉の研究と機械の言葉の研究がともに進展し、幸せな未来に寄与することを願っています。

川添　愛

参考文献（注に挙げたもの以外）

柏端達也『コミュニケーションの哲学入門』、慶應義塾大学三田哲学会叢書、２０１６年
久木田水生、神崎宣次、佐々木拓『ロボットからの倫理学入門』、名古屋大学出版会、２０１７年
酒井邦嘉『言語の脳科学』、中公新書、２００２年
坪井祐太、海野裕也、鈴木潤『深層学習による自然言語処理』、講談社、２０１７年
中澤敏明「機械翻訳の新しいパラダイム　ニューラル機械翻訳の原理」、『情報管理』2017. 8, Vol. 60, No.5, 299-306.
西山佑司『日本語名詞句の意味論と語用論　―指示的名詞句と非指示的名詞句―』、ひつじ書房、２００３年
C. M. ビショップ（著）、元田浩、栗田多喜夫、樋口知之、松本裕治、村田昇（監訳）『パターン認識と機械学習　上』、丸善出版、２０１２年
福井直樹『新・自然科学としての言語学　生成文法とは何か』、ちくま学芸文庫、２０１２年
三木那由他『話し手の意味の心理性と公共性　コミュニケーションの哲学へ』、勁草書房、２０１９年
山本貴光、吉川浩満『脳がわかれば心がわかるか　脳科学リテラシー養成講座』、太田出版、２０１６年

川添　愛（かわぞえ・あい）
九州大学文学部、同大学院ほかにて言語学を専攻し、博士号を取得。津田塾大学女性研究者支援センター特任准教授、国立情報学研究所社会共有知研究センター特任准教授などを経て、言語学や情報科学をテーマに著作活動を行っている。著書に『聖者のかけら』『数の女王』『働きたくないイタチと言葉がわかるロボット』『白と黒のとびら』などがある。

ヒトの言葉《ことば》　機械《きかい》の言葉《ことば》

「人工知能《じんこうちのう》と話《はな》す」以前《いぜん》の言語学《げんごがく》

川添《かわぞえ》　愛《あい》

2020年11月10日　初版発行
2024年4月10日　8版発行

◆◇◇

発行者　山下直久
発　行　株式会社KADOKAWA
〒102-8177　東京都千代田区富士見2-13-3
電話　0570-002-301（ナビダイヤル）

装丁者　緒方修一（ラーフイン・ワークショップ）
ロゴデザイン　good design company
オビデザイン　Zapp!　白金正之
印刷所　株式会社KADOKAWA
製本所　株式会社KADOKAWA

角川新書

ISBN978-4-04-082348-5 C0280